JN083841

自己表現から アカデミック プレゼンテーションへ

双方向性のコミュニケーション

鈴木有香　梶谷久美子 編著
山崎貞子　古谷知子
福本亜希　赤﨑美砂 著

実教出版

はじめに

本書の目的

　本書はプレゼンテーション（発表）を通じて、思考の深化と表出に関わる5つの能力の育成を目指しています。
・プレゼンテーションに関する知識と技能
・双方向性のコミュニケーション能力
・論理的思考力と創造的思考力
・自律的学習力
・協働力
　これらの能力は図1の「学びのサイクル」を通じて習得されていきます。

21世紀に求められる学士力

　急速なテクノロジーの進化と環境の変化にともない、将来を予測することが難しい時代になりました。不安定（Volatility）、不確実（Uncertainty）、複雑性（Complexity）、不明確（Ambiguity）の言葉で表現されるVUCAの時代とも言われています。そうした社会を生きるために必要な能力や教育の在り方はどのようなものでしょうか。

　OECD（経済協力開発機構）は、単なる知識や技能を越えて、人生の成功と持続可能な社会の発展のために必要となる能力概念を「キー・コンピテンシー」と定義し、3つのカテゴリーにまとめました。そのカテゴリーは、①言語・知識・技術などを相互作用的に活用する能力、②多様な集団において人間関係を構築する能力、③自律的に行動する能力です。そしてそれらの中核となるのが「思慮深い思考と行為」であるとしています。本書ではこれを「思考の深化と表出」と捉えています。

　それに応じて文部科学省は21世紀に求められる「学士力」として4分野13項目を提唱しました。その中の4分野11項目が、本書の「学びのサイクル（図1）」で習得できるアカデミック・スキルと関連しています。

学びのサイクル

　「学びのサイクル」は①発表の準備、②発表、③聴き手からのフィードバック、④レポー

ト作成の４つのステップで構成されています。各章ごとに決められた発表テーマに沿って、①から④のステップを繰り返していきます。図１では、各ステップで鍛えられるアカデミック・スキルが示されています。

　学習は個人で行うものとは限りません。私たちは、他者との主体的なコミュニケーションを通して自分とは異なるものの見方・考え方・感じ方・行動の仕方があることを学び、思考と行動の幅を広げ、成長していきます。

　ステップ①の発表の準備では、クラスメイトと協働して、他者と効果的にコミュニケーションをする力や、より多くの情報を収集して多角的に物事を考える力を身につけます。

　ステップ②の発表では、準備した内容を効果的に伝える力を養います。話し手は、一方的に話すのではなく、聴き手の反応に合わせて伝え方を調整し、聴き手との双方向性のコミュニケーションを形成する必要があります。

　ステップ③の聴き手からのフィードバックの時は、発表者は聴き手と教員からフィードバックを受けます。聴き手は発表を能動的に聴き、発表の「良いところ」と「アドバイス」を発表者に伝えます。聴き手は他者の発表から学んだことを自らの発表に反映することで、自分自身のプレゼンテーション能力も向上させることができます。

　ステップ④のレポート作成では、発表の録画を視聴し、発表の文字起こしと添削、クラスメイトと教員からのフィードバックをもとに自分自身の発表を客観的に分析します。他者の発表からの学びもふまえて、次の発表での改善点や目標をまとめます。

図１　学びのサイクル

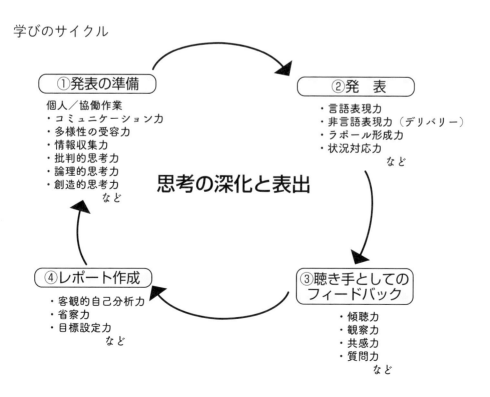

このサイクルを繰り返すことでプレゼンテーションに関する知識と技能だけでなく、図1に書かれているアカデミック・スキルを総合的に身につけ、その結果として「思考の深化と表出」が促されます。

双方向性のコミュニケーション能力

コミュニケーションはメッセージの送り手と受け手が双方向でメッセージのやりとりを行うプロセスです。プレゼンテーションは英語のpresentから派生したもので、「贈り物」という名詞の意味と「提示する」「進呈する」という動詞の意味があります。つまりプレゼンテーションでは聴き手に贈り物を進呈するように、聴き手の立場に立ってわかりやすく伝えようとすることが大切です。発表者は聴き手とのつながりを意識して、言葉や非言語を用いて聴き手に働きかけましょう。

聴き手の方も発表を興味をもって聴き、反応を示すことが求められます。発表者に聴き手がフィードバックを与えることで、聴き手自身の傾聴力、共感力、質問力などを伸ばすことができます。

リフレクションによる自律的学習と思考の深化

リフレクションは英語のreflectionで、自分を客観的に振り返る行為であると同時に課題志向的な問題解決までを含む概念です。過去の行為を振り返るだけでなく、次の発表に向けて新たな目標を設定することまでを含みます。

学生は発表終了後のレポート作成時にこのリフレクションを行い、次回の発表に向けての改善点を考えます。クラスメイトや教員からは自分では気づくことのできなかった自分の強みや、発表を繰り返す中で観察されたポジティブな変化をフィードバックされ、自己肯定感を高めることもできます。これが次回の発表をさらに良いものにしようと努力する主体的な学習意欲を引き出すことになります。

また、聴き手はクラスメイトの発表を聴き、フィードバックをすることでもリフレクションを行っています。クラスメイトの発表を分析的に聴き、評価する力を高めることで、自分自身の発表を改善する方法を考えることができるようになるからです。

リフレクションの習慣化は、思考を深め行動を変化させます。それが他の教科の学習や日常生活にも活かされ、学生の自律的な学びと成長を促します。

本書を活用するにあたって大切なこと

1. アクティブラーニング

　アクティブラーニングとは、知識伝達型講義ではなく、学生同士が様々な課題に能動的に取り組むクリエイティブな活動を通じた学びのことです（溝上 2014, 八代 2019）。本書は学生の能動的な学びを促すために、発表だけでなく、学びのサイクルの各ステップでアクティブラーニングが行えるようにしてあります。

2. 心理的安全性

　心理的安全性（エドモンドソン, 1999）とは、自分の考えや気持ちを安心して人に語れる心理的状態を意味します。心理的安全性が確保されている場では、自由な発言や主体的な行動、学生間の助け合いが促されます。

　そのためには心理的安全性を感じることのできる場づくりが重要です。本書では学生同士の関係構築のためのアイスブレイキングや、心身の緊張をほぐすための身体ワークを第1章で紹介しています。授業の中で適宜使ってください。

3. 主体的な学びを促進する対話的講義

　心理的安全性が確保されてくると、学生からの主体的な発話が出始めます。学生たちの発話を促進する方法として教員ができることは「対話的講義」です。教員が全てを説明するのではなく、学生に質問し、彼らの反応を受けとめながら授業を進めていく方法です。そうすることで学生は自ら考え、自分なりの答えを模索するようになります。

4. 協働で学び合う効果

　グループワークによる学びの効果は「学習に対する高い動機付け、高い学習到達度、学習活動へのコミットメント、社会的スキルや協調的スキルの獲得」など、多数挙げることができます（Johnson, Johnson, and Smith 1991, Jacobs, Power, and Loh 2002）。学生が心理的安全性を感じられる場づくりをしてからグループワークを行うことで学習効果を高めることができます。

　本書では、発表準備の段階で、各章の学習項目の習得を目的としたグループワークを紹介しています（第2章から第7章）。

本書の使い方

本書の構成と基本的な流れ

　本書の第1章は、プレゼンテーション（発表）の基本となる発表者と聴き手のラポール形成、コミュニケーション行動の練習方法とクラス内の心理的安全性確保のためのアイスブレイキングを紹介しています。教室内の雰囲気をあたため、学生同士の活動が促進されるように、第1回目の授業でのオリエンテーションや毎回の授業の始めに、第1章で紹介しているタスクを10分程度行うといいでしょう。

　第2章から第6章までは、アカデミックプレゼンテーション能力を向上させるための心臓部にあたります。平易な自己表現から、段階的に難易度が上がっています。まず、身近なテーマから具体的事実描写や心理描写を学びます。その次に社会・文化・経済・科学技術などのテーマについて多角的な視点から考え、最終的には自分の意見を論理的に説得力をもって語れることを目指します。様々なタスクを通じて知識に基づく技能を習得していきましょう。

　プレゼンテーションを学ぶコツは、「人前で発表する」ということよりも「人に話すこと、人の話を聴くことは楽しく、学びが深まる」という気持ちで本書の様々なタスクに取り組むことです。第2章から第6章までは、①ウォーミングアップ、②コアワーク、③リフレクションの三部構成になっています。

　①ウォーミングアップと②コアワークは発表前の準備段階にあたります。該当する章の目標を達成するための基礎知識とスキルに関連するタスクで構成されています。学生の習熟度やニーズに合わせてどのタスクを使うか選択できます。必ずしも全てのタスクをする必要はありません。

　①**ウォーミングアップ**は、リラックスして楽しみながらその章で目的とする表現力、発想力、観察力などを鍛えるタスクが入っています。

　②**コアワーク**では、各章の学習目標に関わる基礎知識の解説と、それに関連したスキルのためのタスクで構成されています。様々なタスクは個人作業でできるもの、グループワークなど様々なバリエーションがあります。教室内では学生同士がコミュニケーションを通じて、クラスメイトと話し合い、意見を交換し、新たな気づき、アイディアを得る場です。ひとりではできない活動をたくさん行いましょう。一

方、学生自身がひとりでじっくり読み込んだり、考えたり、内省する時間も必要です。こうした活動は授業外に個人作業として行ってもいいでしょう。活動内容を見て、反転学習ができるように計画することもできます。なお、オンラインで可能なタスクについてはタイトルの最後に「＊」の印がついています。最終的にはダウンロード教材にある「構成シート」を作成してプレゼンテーションの内容を確定していきます。

③**リフレクション**は学生が自分の発表後にそのパフォーマンスを振り返るための活動です。自分自身の行動を客観的に振り返り、次回への改善策を自分自身で考え、次の目標設定に活かすための重要な段階です。

【第2-6章の基本的な流れ】

準備段階	①ウォーミングアップ	グループ活動	教室／授業外学習
		個人作業	
	②コアワーク	グループ活動	教室／授業外学習
		個人作業	
本番	発表	クラスで（録画・クラスメイトからのフィードバック）	**教室**
発表後	③リフレクション	個人作業	授業外学習

発表について

　日本国内では演説、スピーチというと原稿を正しく読むような光景がまだまだ多いようです。人の心に響くプレゼンテーションには聴き手と向き合い、聴き手に語りかけ、聴き手の反応を得て、また語りかけるという双方向性のコミュニケーションが存在します。ですから、本書では原稿を持って読み上げるような発表はしません。そのために、発表前に①ウォーミングアップと②コアワークを通じて心と頭と身体の準備を整えているのです。聴き手をしっかり見て、語りかけていくと、発表者と聴き手の間に調和したエネルギーの流れができます。すると、自然に語るべきことがあなたの声となってでてきます。その境地を目指してください。なお、発表は発表者自身で録音録画し、レポート作成に活用します。録音・録画はスマートフォンを利用すると便利です。

【発表者がすること】

- 発表の直前に、今回の発表の目標を確認しましょう。
- 聴き手の前に立ったら、挨拶して自分の名前を告げましょう。
- 発表中は聴き手をよく見て、聴き手の反応を感じながら語りかけましょう。

- 必要であれば、発表に関係する小道具、資料などを使うのもいいアイディアです。
- 発表の終了を告げ、挨拶をして終わりましょう。（ただし、話すテーマに応じて終了方法を工夫してもいいでしょう。）

【聴き手がすること】

　聴き手は発表をただ聞く受動的な存在ではありません。発表者自身の新しい側面、自分の知らない知識や情報を得るために能動的にかかわる必要があります。好奇心を持って聴き、自分自身がまだよくわからない点を探してみましょう。そして、発表後に質問をしてみましょう。質問するためには「自分がわかっていること」と「わからないこと」が区別できていなければなりません。逆に、理解が追いついていない場合は質問ができません。理解しようと努めているからこそ、質問ができるのです。発表を聴くことは「質問力」の訓練でもあります。

　それから、聴き手はクラスメイトのプレゼンテーション能力を向上させるための協力ができます。その協力の一つに発表者に対してフィードバックシートを書く作業があります。フィードバックシートは、ダウンロード教材にあるので、それを使ってください。フィードバックシートに書くことは以下の3点です。

- 発表を四段階で評価する
- 発表の良かった点とアドバイスを記述する
- 発表内容について質問したいことを書く

　フィードバックシートを書き終えたら、発表者にそれを渡します。発表者はクラスメイト全員からのフィードバックを読むことで、客観的に自分の発表を振り返ることができます。また、聴き手は観察力、理解力、共感力、質問力などを鍛えることができます。

発表後のリフレクションの方法

　プレゼンテーションが終わったら、発表者はリフレクションを行います。リフレクション

というのは自分の行動を振り返り、次回の発表をよりよくするための新たな目標設定をすることです。各章のリフレクションを参照してレポートを作成してください。レポートの作成は以下のような手順でやると効果的です。第2-6章のレポート作成フォーマットはダウンロード教材に入っています。

① 自分の発表の録画を視聴する
② 該当する課のルーブリックを読み、自己評価をつける
③ 自分の発表の録画を再度視聴し、文字おこしする
④ クラスメイトからもらったフィードバックシートを読む
⑤ ③の文字おこしした部分を自分自身で赤ペンで添削する
⑥ 自分の発表について、良かった点、改善すべき点について根拠を添えて文章を書く
　・良かった点（具体的に何ができたのか、理由を添えて記述する）
　・改善したい点とその方法　（うまくいかなかった点と理由を記述し、改善策を示す）
　・自分以外の発表から学んだことを書く。

　レポートに書く内容は上記の③、④、⑦を使うことができます。また、さらに訓練を積み上げたい場合は、⑧「もし、もう一度やるチャンスがあったら、理想的にはこんなプレゼンテーションにする」つもりで、「理想的なプレゼンテーション原稿」を作成するといいでしょう。

学習効果を上げるための重要なツール

　最後にプレゼンテーション能力、コミュニケーション能力を向上させるために本書が重視していることは、発表のための準備と発表の後のリフレクションです。そのためのツールとしてルーブリックとフィードバックを本書では各章で使用しています。

【ルーブリック】

　プレゼンテーションは知識だけでなく、聴衆を分析し、聴衆に語りかけ、表情やジェスチャーを伴う複雑なスキルが統合されたパフォーマンスです。こうした統合的なパフォーマンスの評価の観点とレベルを具体的に記述して、一定の基準を示した評価ツールを「ルーブリック」と言います。本書では各章に到達レベルを示したルーブリックがあります。各章のルーブリックを見て、自分の目指すパフォーマンスの目標を意識してプレゼンテーションを行うことができます。発表後は自分のパフォーマンスをルーブリックを用いて客観的に評価し、次回の発表の目標を再設定することが効果的な学びのプロセスになります。

ルーブリックでは、学習到達度を4段階で示しています。各課で到達すべき基準はレベル3になります。基準に満たない段階にはレベル1とレベル2があります。なお、基準を超えた素晴らしいパフォーマンスはレベル4とします。

　本書でのルーブリックの評価観点のうち、聴衆分析、ラポール形成、視聴覚情報は発表回数を重ねることで伸びていく能力です。したがって、学習到達度は全章を通じて共通しています。章を進めるごとに、自分自身の成長を確認することができます。

　なお、構成、内容、デリバリーついては章ごとの学習目標が設定されています。ルーブリックでは各章の学習目標にどの程度到達したかを測ることができます。

　また、クラスメイトもルーブリックを使って発表者にフィードバックします。良かった点、アドバイスを伝えることで発表者の成長を応援することができます。

【フィードバック】

　自分自身のことを客観的に評価するというのは非常に難しいことです。特に、恥ずかしさや自信のなさなど自分の感情にとらわれていると、自分の欠点だけをあげ連ねてしまいがちです。しかし、プレゼンテーションを聴いている人たちはどう感じたのでしょうか。

　フィードバックとは、発表者の行動に対して良かった点やアドバイスなど、聴き手側からの評価を伝えることです。評価というのは発表者に対して上から目線で審査することではなく、発表者の成長のために率直にコメントを与えることを意味します。発表者は聴き手からのフィードバックを得ることで、自分を客観視し、自分の良い点を自覚し、それを継続することができます。また、アドバイスを得て自分の行動の修正方法を考えることができます。

　このように、フィードバックは教員だけが学生に対して行うものではありません。特にプレゼンテーションには聴き手がいます。しかし、聴き手ひとりひとりは異なる人間であって、「素晴らしい」と感じる点が異なるのも現実です。ですから、一つの正解を求めるようなアプローチにはなじみません。むしろ、多くの人からの率直なフィードバックを得て、発表者自身が自分なりの「素晴らしさ」を作り上げていくプロセスに意味があると考えてみてください。

　また、学生同士が率直なフィードバックをし合える環境をつくることで学生間の学びが促進されます。「素晴らしい聴き手がすばらしい発表者を育てる」そんな学びの場をつくることに本書が役立つことを著者一同が願っております。

　なお、加速度的に社会状況が変化する今日、授業のオンライン化の問題があると思います。本書ではオンラインでもできるタスクは表題の最後に「＊」で表示しています。たとえば、「タスク3-2：どんなカバンか説明しよう（個人／グループ）＊」という表示はこのタスクは個人でも、グループでもでき、オンラインでもできるという意味です。

（例）第２章ルーブリック：自己紹介（自己理解と他者理解）

評価観点＼学習到達度	4 基準以上	3 基準	2 少しできている	1 できていない
聴衆分析	聴衆の知識や経験を意識して、興味関心を引きつける情報や表現の選択ができている。	聴衆の知識や経験を意識して、情報や表現の選択ができている。	聴衆分析が不充分である。	聴衆分析がされていない。
構　成	三部構成ができている。 文章のつなぎがスムーズで流れが自然である。	三部構成（序論・本論・結論）ができている。	三部構成が部分的にできている。	三部構成ができていない。
内　容	自己紹介に必要な情報が具体的に提供されている。 話し手の個性が感じられる情報が含まれている。	自己紹介に必要な情報が具体的に提供されている。	自己紹介のための情報はあるが、具体性に欠ける。	自己紹介のための情報が不充分である。
デリバリー	聴き手全員にアイコンタクトをとりながら、聴き手に届く声で語りかけている。	聴き手全員を見て、聴き手に届く声で話している。	目線が聴き手に向いていない。 または、 声が聴き手に届かない。	目線を上げられず、声が聴き手に届かない。
ラポール形成	聴き手に意識を向けていて、関係作りができている。 オープニングやクロージングの工夫ができている。 聴き手を巻き込んでいる。	聴き手に意識を向けていて、関係作りができている。 オープニングやクロージングの工夫ができている。	聴き手との関係作りが不充分である。	聴き手との関係作りができていない。

①３が基準である。②聴衆分析、ラポール形成、視聴学情報の基準は各章同じになっている。

【ダウンロード教材リスト】

・第２章〜第６章の各章の「**構成シート**」

・各章共通で使用できるもの

　「**聴衆分析シート**」、聴き手からの「**フィードバックシート**」、「**レポート作成フォーマット**」

・第７章で使用するもの

　「**私のリソースシート**」、「**ビジョンを実現するための行動マップ**」、「**ビジョン開発シート**」、「**応援メッセージカード**」

第 1 章　発表者と聴き手で作り上げるプレゼンテーション

Ⅰ　はじめに	Ⅱ　関係性を築く	Ⅲ　聴く準備	Ⅳ　話す準備
基礎知識 1 ： ラポールの形成 基礎知識 2 ： アイスブレイキング	タスク 1-1 これ何？ タスク 1-2 アイコンタクト タスク 1-3 感情当てゲーム タスク 1-4 ほめほめ♡	タスク 1-5 良い聴き手と悪い聴き手 タスク 1-6 話し手に優しく温かい目線を向ける	タスク 1-7 呼吸は全身で タスク 1-8 息を前に流す タスク 1-9 表情を柔らかくする タスク 1-10 滑らかな発音のための下準備 タスク 1-11 姿勢を整え視野を広げる タスク 1-12 グラウンディング タスク 1-13 聴き手全員へのアイコンタクト（ブロッキング）

どの章でも使えるアイスブレイキング・身体ワークとデリバリーの基本：授業の最初の 10 分間ワーク

「プレゼンテーション」というのは人前に立って、メッセージを言葉で伝えることだけだと考えている人が多いと思いますが、じつはそれは表面的な解釈です。発表者は何のために語るのでしょうか。情報、知識、心情を聴き手と共有するために語るのです。その前提として発表者と聴き手の関係性の構築が重要になります。

　プレゼンテーションは言葉だけではなく、声のトーン、表情、ジェスチャーなど全身を使って聴き手との関係性を築いているのです。

　第 1 章ではプレゼンテーションの前提となるラポール形成と、声や身体性に関わる簡単なワークとしてのアイスブレイキングを紹介します。

I　はじめに

基礎知識 1　ラポールの形成

　ラポールとは、フランス語で「橋を架ける」という意味があり、もともとは心理学で使われていた用語です。カウンセラーとクライアントが信頼し合い、リラックスしてコミュニケーションがとれる関係性のことです。ラポールが形成されることで、コミュニケーションが活性化します。プレゼンテーションも同様で、発表者と聴き手の間にラポールが形成されると、話し手はオープンに語りやすくなり、聴き手も発表内容に関心を持ちやすくなります。ここでは、そのための方法を紹介します。

1.話す前から第一印象は決まる

　聴き手の話し手に対する第一印象は話し手が聴き手の前に立ち、挨拶をするまでの間に決まります。ですから話し手は実際に話を始める前から聴き手に好印象を与えるための服装、表情、態度に気をつける必要があります。

2.オープニング（Opening）の工夫

　聴き手は話し手が話し始めてから30秒以内で「この話を聴きたい」と思うか否かを判断すると言われています。つまり話し始めが肝心です。オープニングとはいわゆる「つかみ」に当たる部分です。これがうまくいくと仮に第一印象が悪くても挽回することができます。その具体的な方法をここでは5つほどあげますが、どれも発表の主旨に繋がるものでなくてはなりません。

① 　聴衆に質問を投げかける

　例）みなさん、ナマコを食べたことがありますか。

② 　最近、話題になっている話から始める

　例）最近、ゲリラ豪雨があちちこちで起きていますね。

③ 　興味深い統計結果やデータを挙げる

　例）10秒って何を意味すると思いますか。それは第一印象が決まる時間なんです。

④ 　慣用句やことわざから始める

　例）「トマトが赤くなると医者が青くなる」と言われています。

⑤ 　エピソードやたとえ話から始める

　例）私は軍手を見るたびに父のことを思い出します。

3. クロージング (Closing) の工夫

　クロージングとは話や発表を終えるという意味です。クロージングでは発表内容を聴き手に印象付ける工夫が必要です。オープニングの内容と関連させながら次の方法を試すといいでしょう。

① 聴き手の答えがメッセージの主旨に沿うような質問をして締めくくる。

　　例）最後にみなさんに言いたいのは「逃げますか、それとも立ち向かいますか。」

② 格言、有名な文章や詩、著名人の発言などを引用して、メッセージの主旨を改めて強調して締めくくる。

　　例）最後にみなさんに、松岡修造の言葉をプレゼントしたいと思います。「昇ってこいよ！　君は太陽だから！」

③ メッセージの主旨を記憶に残りやすいキーワードで繰り返す。

　　例）「安い、うまい、早い」は牛丼だけでなく、経営判断にも通じるのです。

④ オープニングで話したエピソードを思い出させてまとめる。

　　例）ですから、「軍手」は父の涙と重なるのです。

⑤ 聴き手がトピックについてもっと知りたいと思ったり、発表の主旨に沿った行動を促したりするメッセージで締めくくる。

　　例）みなさん、選挙に行きましょう！

4. メッセージを聴き手の記憶に残す工夫

　聴き手の感情が高まると、脳の報酬系が活性化され、ドーパミンが分泌されて記憶に残りやすくなります。脳の報酬系を活性化させるものには、聴き手にとっての新情報、ワクワクするような情報、勇気を与えてくれる言葉などがあります。そのためには、聴き手が知らないことは何だろう、聴き手のニーズやメリットは何だろう、聴き手が一歩踏み出すために必要な言葉は何だろうと考えるといいでしょう。

5. 発表者が聴き手の感情をリードする

　話し手の感情は聴き手に伝播します（中村 2007）。話し手が緊張していると聴き手も緊張し、話し手がリラックスしていると聴き手もリラックスして話に集中することができます。話し手が情熱をもって話していると聴き手も話に引き込まれていきます。聴き手は発表者の感情を映しだす鏡なのです。過度に緊張してしまうのは①準備や練習が不充分である、②自分への否定的感情を頭の中で繰り返している、③自分を良く見せようとしすぎる、などの理由があります。これらを取り去るためには、①事前準備と練習を充分にする、②

「充分練習したから、大丈夫」と自分に言い聞かせる、③自然体で話すことに集中する、などがあげられます。

6. 発表者の自然体が大切

　聴き手の信頼を得るためには、自分を良く見せようと力まずに、ありのままの自分で話すことが大切です。英国王立演劇アカデミーの元校長のニコラス・バーター氏は聴き手の共感を得るためには「見せるな、聞かせるな、演じるな」と言っています。時間をかけて練習し、自然体で話せるようになりましょう。そうすることで自然に言葉に感情が乗り、自分のストーリーを心を込めて話せるようになり、聴き手の共感を引き出すことができるでしょう。

アイスブレイキング

　「アイスブレイキング」は緊張した場を温め、円滑なコミュニケーションをとりやすくします。学生が積極的に参加する意欲を高め、集中力の回復のための気分転換にもなります（岸田・鈴木, 2021）。また、クラスメイトとの会話への抵抗感をなくし、クラス全体の一体感を醸成するために毎回実施すると効果的です。そして身体の緊張を緩めたり、身体を用いた表現力（デリバリー）を豊かにするための準備運動としても活用できます。授業スケジュールに合わせて、以後のタスクを選択してください。

Ⅱ　関係性を築く

これ何？（ペア）＊

解説

　言語表現での瞬発力を高めるワークです。語彙力や具体的な表現力を高めるのにも効果的です。また、教室を歩きまわり、観察し、声を出すことでその空間になじむ効果もあります。「これ」の時は必ず対象に近づき質問しましょう。慣れてきたら、「カタカナを使わずに表現しましょう」と制約条件を付け加えます。

手順

①　ペアになり、質問者と解答者を決めます。

②　2人で教室の中を動き回り、1人が室内にあるものを指さしながらながら「これ何？」と質問し、もう1人が答えていきます。だんだんペースを速めていきましょう。

③　1分たったら役割を交代しましょう。

④　2ラウンド目では「カタカナ語」を使わないで同様に進めます。

 タスク 1-2　**アイコンタクト（グループ）**

解説

　このワークは言葉と目線・ジェスチャー・声を一致させる練習です。これらが一致していないと正確にメッセージを伝えることができません。メッセージの送り手と受け手の両方が主体的に関わることで初めてコミュニケーションが成立します。送り手はメッセージが相手にしっかり伝わっているかを確認し、メッセージを受け取る側も「受け取ったよ」ということを送り手に伝えましょう。ここでは3つの練習を紹介します。

A　わたし‐あなた

手順

①　グループ（4～8人）と円になって向き合って立ちます。

②　最初の人は自分の胸元に両手を当てて「わたし」と言い、伝えたい人に向けて、目線と両手のジェスチャーを伴いながら「あなた」と言います。この時「あなた」という言葉を両掌の上に載せてプレゼントのように相手に差し出すようにします。声がしっかり相手に届くように声の大きさも調整しましょう。

③　「あなた」という言葉を受け取った人は別の人に向けて②を繰り返します。

④　ペースを速めたり、遅くしたりすると楽しくなります。

B　目線パス

手順

　上述の「A　わたし‐あなた」ができるようになったら、声を出さずに目線を送り合う練習に移りましょう。

①　グループ（4～8人）と円になって向き合って立ちます。

②　最初の人は目線を送る相手を1人決めて、その人の目をしっかり見ます。

③　目線を送られた人は「受け取った」ことを送り手に目線だけで伝えます。その後で、次の人に目線を送りましょう。（言葉やジェスチャーは使いません。）

④　②と③を繰り返し、目線だけでパスを回していきます。

C　言葉 - 目線 - お辞儀

手順

　上述の「B　目線パス」ができるようになったら、挨拶と名のりをした後、お辞儀をする
練習をしましょう。

①　両足をそろえて良い姿勢で立ちます。背筋を伸ばしたまま上半身を腰から傾けます。

②　グループメンバー（4〜8人）と円になって向き合って立ちます。

③　1人の学生がグループメンバーそれぞれの目をみて次の言葉を届けましょう。

　　例

　　学生Aを見て「おはようございます」

　　学生Bを見て「経済学部一年の」

　　学生Cを見て「沢井百花です」

　　学生Dを見て「ニックネームはももです」

　　全員に向かって「よろしくお願い致します」

　　そして、最後にお辞儀をします。

④　順番に③を繰り返していきます。

タスク 1-3　感情当てゲーム（グループ）＊

解説

　表情とジェスチャーを豊かにし、感情表現力を高める練習です。
また表現された感情を当てる行為を通じて察する力を養います。

悲しい

手順

①　グループメンバー（4〜6人）が円になって向き合います。

②　順番を決め、時計回りで行います。

③　最初の人（Aさん）が左隣の人（Bさん）に表現してもらいた
　　い感情を耳打ちします。たとえば「悲しい」など。

④　Bさんが告げられた感情を表情とジェスチャーのみで表現しま
　　す。表現された感情をAさんとBさんを除いた他のメンバーは
　　即座に感じとって口に出しましょう。すぐに当たらない場合はB
　　さんは表現方法を変えてみましょう。

⑤　Bさんの表現した感情が当たったら、次の順番のCさんに移

ります。

⑥　同様に③から⑤を繰り返します。時間の許す限り何周しても構いません。

 ほめほめ♡（ペア）＊

解説

　相手の良い点を見つけて、具体的な言葉で伝える練習です。たとえば、「それ、いいですね。」ではなくて、「ピカピカな靴がおしゃれですね。」と観察に基づいた表現をするといいでしょう。ほめる方が恥ずかしがってほめ言葉を発することができなかったりあいまいな表現をしたりすると、ほめられる人は嬉しくありません。人をほめるためには、観察力やそれを的確に表現する語彙力が必要です。

手順

①　ペアになり、ほめる人とほめられる人を決めます。

②　ほめる人は相手をよく見て１分間ほめ続けます。ほめられる人はほめられたことを否定せずに全て「ありがとう」と言って受けとめましょう。

③　１分経ったらほめる人とほめられる人の役割を交代しましょう。

Ⅲ　聴く準備

 良い聴き手と悪い聴き手（ペア）＊

解説

　みなさんは日常生活の中で人の話をどのように聴いていますか。ついよそ見をしたり、スマホをいじったりすることはありませんか。話し手からすると、聴き手がアイコンタクトをとってくれない、ほんの一瞬スマホへ目を向けるだけでも、「自分の話がつまらないのだ」と思ってしまいます。

　聴き手の態度が話し手の気持ちや発表自体にも大きな影響を与えます。プレゼンテーションの練習はコミュニケーション教育であると捉えてください。コミュニケーションは話し手と聴き手との間の双方向のやりとりで成り立っています。

　プレゼンテーションの発表の時も同じです。話し手が準備してきた内容に自信をもって伸び伸びと話せるように聴き手としての態度に気をつけましょう。

手順

1回目

① ペアになって聴き手と話し手を決めます。

② 向き合って相手の声が届く距離に座るように椅子を動かしましょう。

③ 話し手が聴き手に向かって、1分間、朝起きてからの行動とその時の気持ちを丁寧に話しましょう。

　例

　今朝は6時に起きましたが夜中1時までゲームをしていたのでまだ眠かったです。朝ご飯にトーストとバナナを食べて7時半に家を出ました。

④ その間、聴き手は自分が考える最高に良い聴き手を演じて、話を聴きましょう。

⑤ 話が終わったら、話し手は聴き手が何をしたかを具体的に述べましょう。その後で、どんな気持ちになったかを伝えましょう。

2回目

① 話し手と聴き手を交代しましょう。

② 話し手1回目と同じように、1分間、朝起きてからの行動とその時の気持ちを丁寧に話しましょう。

③ その間、聴き手は自分が考える最悪の聴き手を演じてください。スマホをいじっても良いし、隣の人と話しても、寝たフリをしても構いません。

④ 話が終わったら、話し手は聴き手が何をしたかを具体的に述べましょう。その後で、どんな気持ちになったかを伝えましょう。

　第1回目と第2回目を終えたら、クラス全員で最高の聴き手と最悪の聴き手の言動の違いについて話し合いましょう。

 タスク 1-6 # 話し手に優しく温かい目線を向ける（グループ）＊

解説

　私たちは相手を見てコミュニケーションをとるように指導されていますが、ただ相手に目を向ければ良いというわけではありません。話し手の発表に興味をもって耳を傾けようという意識のない目には表情がなく、とても怖いものです。そのような目線を向けられると、話し手はさらに緊張してしまうでしょう。私たちは興味を持っているもの/人のことを考えると自然に表情がやわらぎ、目線も優しく温かいものになります。聴き手の温かい目線とうなずきによって、発表者が安心して落ち着いて話せるようになります。

手順

① 教員が悪い例を示します。

・クラスの学生それぞれに冷たい目線を向けます。

・冷たい目線を配ったあとで、学生にこの目でずっと見つめられたらどのような気持ちになるかを尋ねます。

② 学生はグループ（3〜4人）になります。

③ それぞれの学生が自分の好きな物、好きなことを思い浮かべて優しく温かい目をつくり、グループメンバー全員と優しく温かい目でアイコンタクトを取り合いましょう。

④ どんな気持ちになったか、メンバー同士で伝えあいましょう。

Ⅳ　話す準備

呼吸は全身で（個人）＊

解説

　肺は自分でコントロールできる唯一の内臓器官です。肺をコントロールするのは呼吸です。呼吸を意識することで、心と身体を整えることができます。

　身体が緊張していると呼吸が浅くなり、表情が硬くなり、声も前に出ません。呼吸と表情と声は連動しています。呼吸を深くし、表情を柔らかくし、スムーズな発声を助けるワークを行いましょう。全身を使うワークですので自然に身体がリラックスしていきます。まずは、自分自身の緊張を解きほぐすための呼吸を身につけましょう。

手順

① 手足首肩の力を抜いて頭も下げて全身をぶらぶらと揺らしましょう。

② 両腕を身体の脇にだらんと下げ、両腕を広げて上げる時に息を吸い、吐く時は「あ〜」とお腹から深い声を出しながら両手と、頭を下げて、脱力して息を吐き切ります。

この動作を両腕の位置を段階的に変えていきます。

・1回目は両脇に下げた腕を胸の位置まで上げながら息を吸い、「あ〜」と言いながら脱力して息を吐き切ります。

・2回目は両腕を肩の位置まで上げます。

・3回目は両腕を耳の位置まで上げます。

・4回目は両腕を頭の上まで上げて、掌を合わせて上方に高く伸ばしながら息を吸い、「あ～」と言いながら脱力して息を吐き切ります。

③ ②を2～3回繰り返しましょう。心身ともにリラックスできます。

 タスク 1-8 ## 息を前に流す(個人)＊

解説

相手に声が届かないのは、メッセージを届けたい相手に意識が向いておらず、息が前に出ていないからです。メッセージを届けたい相手に向かって、息を流すつもりで声を出しましょう。ここでは息を前に流す練習をします。

手順

① 姿勢を整えて、2メートル先にメッセージを届ける相手がいるとイメージして下さい。

② 大きく鼻から息を吸って、口をすぼめて相手に届くように、息を「フー」とゆっくり吐きます。これを4回繰り返します。

③ 息が相手に届くように、「フッ・フッ・フッ・フッ」と速く吐きます。これを、4回繰り返します。その時、上半身全体が動いているのを感じましょう。

④ 今度は「ハッ」を使って、お腹周り全体を意識します。「フッ・ハッ・フッ・ハッ・フッ・ハッ・フッ・ハッ」を相手に届くように、4回繰り返します。

 タスク 1-9 ## 表情を柔らかくする(個人/グループ)＊

解説

表情を豊かにするために表情筋を動かして顔をリラックスさせましょう。

手順

① 両脇を締めて手をギューッと握りながら、顔のパーツを全部中央に寄せるように縮めます。

② 両手を開き「パッ」と言いながら、縮めた顔の目と口を大きく開けて顔を広げます。

③ ①と②を交互に繰り返しましょう。

滑らかな発音のための下準備（個人）＊

解説

　発音は唇の形、舌の位置、息の流れで決まります。私たちは緊張している時は舌も緊張して奥に引っ込んでしまっています。ここでは唇と舌の緊張をほぐしましょう。

手順

① 肩を「ブルブルブルブルブル〜」と息を流しながら、震わせます。これを4回繰り返します。

② 巻き舌で「ルルルル〜」と言ってみましょう。これを4回繰り返します。

 姿勢を整え視野を広げる（個人）

解説

　姿勢が悪いと見た目の印象だけでなく、呼吸や発声にも悪影響を与えます。猫背になっていると、視野が狭くなり、呼吸も浅くなるので身体がいつも緊張していることになります。プレゼンテーションの時も姿勢が悪いと緊張感がさらに高まってしまうので気をつけましょう。

手順

① 両足を閉じて立ち、胸の前で掌を合わせます。合わせた手を前方にまっすぐ伸ばしましょう。

② その状態から両手が視界に収まるギリギリのところまで水平に左右に広げて行きます。顔は正面に向けたまま、肩とあごが上がらないように注意します。

③ 静かにゆっくり呼吸をし、心の中を落ち着かせます。そうすると両腕を180度まで広げても視野の中に収まるでしょう。

④ 左右に広げた両腕を両脇に静かに下げます。この時、鎖骨と首が十字になって、肩が開いていることを確認しましょう。そして大きく息を吸って吐きながら肩を下ろします。

⑤ 視野が広がって気分がすっきりする感覚を味わいましょう。その姿勢を保ちながらプレゼンテーションを行います。

グラウンディング（個人）＊

解説

　私たちは人前で話す時に「あがっちゃう」とよく言います。これは文字通り意識が頭の方にいってしまっている状態です。この、上にあがってしまっている意識を身体に向けると心が落ち着き、緊張もほぐれます。グラウンディングとは大地と繋がるという意味です。足を床や地面にしっかりつけて心と身体が安定するのを感じましょう。

手順

① 　軽く３回ジャンプしましょう。この時、肩も上下させ、両腕もダランダランとゆらしましょう。着地した時、足裏の感覚（足裏で靴底を感じる）に意識を向け、床や地面と繋がっていると思ってください。上に上がっていた意識を下に下げることができます。

② 　座っている場合は椅子の座り心地の方に意識を向けましょう。お尻と椅子が繋がっていると思うと、上に上がっていた意識を下に下げることができます。

聴き手全員へのアイコンタクト（ブロッキング）（グループ）

解説

　聴き手は話し手と目線が合わないと、話し手との繋がりを感じることができません。聴き手の興味を自分の話にひきつけるためには、常に聴き手とアイコンタクトをとるように心がけましょう。左右に目線を配る場合は、目だけを動かすのではなく、胸を聴き手に向けて、胸（ハート）からメッセージを発しましょう。

　聴き手の人数が多く、一度に全員を視野に入れることが難しい場合は、聴き手が座っている位置に合わせ、３つ程度のグループに分け、グループごとに順番に目線を配っていくと良いです。これをブロッキングといいます。メッセージの意味のまとまりごとにゆっくりと、聴き手のグループに目線と胸を向けていきましょう。

　中央のグループからスタートして、中央のグループで終了するようにします。

手順

① 　話し手は発表する場所で聴き手に向かって立ちます。

② 　聴き手を大きく３つのグループに分けます。

③ 　話し手は各グループごとに目線と胸を向け、グループメンバー全員を視野に入れて「おはようございます / こんにちは」と挨拶をします。目線と胸を向けられたグループ

メンバーは話し手に優しく温かい目線を向けて挨拶を返しましょう。話し手は順番に3つのグループに対して、この挨拶を繰り返していきます。

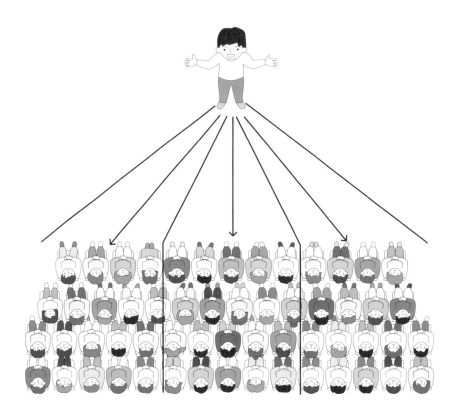

第2章 自己紹介（自己理解と他者理解）

この章で学ぶこと	構成：三部構成（序論・本論・結論）ができる
	内容：必要な情報が具体的に提供できる
	デリバリー：聴き手全員を見て、聴き手に届く声で話せる

ウォーミングアップ

タスク 2-1
みんなで体を動かそう

タスク 2-2
多様性を知るクラスの市場調査

基礎知識 3
自己理解を深める「ジョハリの窓」って何だろう？

基礎知識 4
聴衆分析

タスク 2-3
もしも聴き手が○○だったら

コアワーク

1. プレゼンテーションを検討しよう
タスク 2-4
印象に残るのはどっち？
基礎知識 5
三部構成：序論・本論・結論

2. プレゼンテーションを作ろう
タスク 2-5
イメージマップで内容を決めていく

3. デリバリー
基礎知識 6
聴き手を見て、聴き手に届く声で話す
タスク 2-6
相手に声を届ける練習

発表

リフレクション

ルーブリック

1. 発表前
(1)準備チェック
(2)今回の目標

2. 発表後
(1)ルーブリックの記入
(2)クラスメイトからのフィードバックを読んで
(3)自分以外の発表から学んだこと

　この章では、自分と相手（他者）を理解することについて学んだあと、自分について説明するプレゼンテーションをします。プレゼンテーションは基本的に3つの部分、序論・本論・結論で構成されます。本論の部分では、聴き手に理解してもらうために具体的な例を活用します。聴き手全員に届く声で話し、聴き手の反応を知るために聴き手を見ながら話しましょう。

＜ウォーミングアップ＞

 タスク 2-1 みんなで体を動かそう（グループ）＊

　みんなで一緒に体を動かして、準備運動をします。教員の合図と共に、「いいね！」「OK」「拍手」「パンチ」「ハイタッチ」のポーズをとっていきます。「いいね！」と教員が、言ったら親指を上に、「OK」と言ったら両手で大きく丸を作り、「ハイタッチ」と言ったら片手や両手を上げてタッチのポーズを作りましょう。

 タスク 2-2 多様性を知るクラスの市場調査（グループ）＊

（1）クラスには見た目だけではわからない様々な人がいます。どんな人たちがいるでしょうか？　クラスの多様性を知りましょう。これから簡単な質問をしますので、該当する方へ移動してください（4択の場合は教室を4つに区切ります）。
　　移動先で一緒になったクラスメイトとハイタッチをしましょう。

例①　バイトしている人、していない人
　②　社交的な人、人見知りな人
　③　せっかちさん、のんびりさん
　④　春生まれ、夏生まれ、秋生まれ、冬生まれ
　⑤　A型、B型、O型、AB型、わからない人は
　　　真ん中へ
　⑥　趣味：見る派、聞く派、する派、作る派、集める派

ペット飼っている人は右へ！飼ってない人は左へ！

（2）このクラスの共通点や違いは、どんなものがあったでしょうか？

基礎知識 3

自己理解を深める「ジョハリの窓」って何だろう？
（自分の中の多面性とコミュニケーションの必要性）

　自分が自分に対して思っているイメージと、他の人が自分に対して思っているイメージはいつも同じでしょうか？　あるとしたらどのような違いでしょうか？

　「ジョハリの窓」というのは、アメリカの心理学者ジョセフ・ルフトとハリー・インガムによって提唱された自己分析ツールのことです。自己開示（自分について話すこと）を軸に、自分が思っている自分と、他者が思っている自分を照らし合わせ、その一致やズレを知ることで、自己分析を行いながら、他者とのコミュニケーションのあり方を探る手法です。

① 開放の窓(OPEN)：自分も相手も知っている

　自分がイメージしている自分と、他者が理解している自分が一致している状態です。ありのままの自分で周りと接しており、周りも自分を誤解することなく、ありのままに受け止めています。この領域が大きければ大きいほど他者と円滑なコミュニケーションがとれています。

例：名前、今住んでいるところ、着ている服の色、好きな音楽・ゲームなど。

② 盲点の窓(BLIND)：自分は気がついていないが相手は知っている

　自己開示はするけれども、周りの意見には耳を傾けないため自分を客観視できていません。自分で気づかないうちに、自分の思いとは別の影響を周りに与えている裸の王様状態です。この領域が大きいと他者と良好なコミュニケーションがとりにくくなります。

例：早口、猫背、髪を触るくせ、身体が揺れるなど。

③　秘密の窓(HIDDEN)：自分は知っているが他者は気づいていない

　話したくないこと、話せないことは無理に話す必要はありません。しかし、話せる範囲で自己開示をしないと、周りの人に自分を知ってもらうことができません。周りの人はあなたが何を考えているのかわからないので、あなたを誤解する可能性が高まります。そのため、この領域が大きいと良好なコミュニケーションがとりにくくなります。自分が恥ずかしいと思っても、失敗談を伝えると、その人の人間味が伝わり、聴き手が親近感を覚え、関係性が深まります。これはオープンネス(openness)と言われ、相手の心を開かせる鍵となります。

例：自分がはずかしいと思っていること（幼少期のおねしょ、ぬいぐるみが無いと寝られない）、失敗談、信仰、自分の弱みなど。

④　未知の窓(UNKNOWN)：自分も他者も知らない

　自分も他者も知らない気がついていない領域ですが、潜在的な可能性を秘めている領域です。新たな経験、多くの人々との交流を通じて開発されていきます。現在の未知の窓は本人は自覚することはできません。しかし、過去を振り返った時、「あの時までは、アフリカに住むとは思わなかったけど、今はケニアで技術指導していて幸せです。」という風に思い返せます。

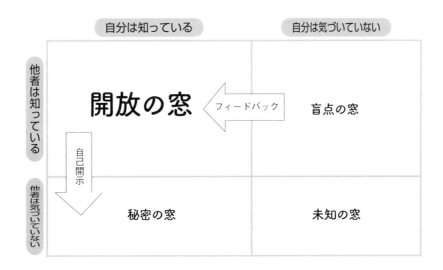

このジョハリの窓からわかることは、①の「開放の窓」を大きくすることが、自分への誤解を最小限に抑え、円滑なコミュニケーションをするコツだということです。そのためには、②の「盲点の窓」と③の「秘密の窓」を小さくすることが必要です。まず話せる範囲で自己開示をし、他者からのフィードバック（アドバイスや意見、感想など）を受け、また積極的に自己開示するというプロセスを繰り返します。こうすることによって開放の窓が広がり、同時に未知の自分に気づき、自分をより深く知り、成長することができます。

ただし、自己開示の度合いは、相手や話題、状況、あなたの経験などによって、刻々と変わっていきます。たとえば話し相手が親友と就職の面接官では、話す話題も程度も違います。好きな食べ物の話は誰とでも話しやすいですが、失敗したことなどは話しにくい人が多いでしょう。また、同じ相手であっても入学式とサークルの飲み会とでは話す内容が変わってきます。

基礎知識 4　聴衆分析〜何を話すかの前に、誰に話すか〜（他者理解）

プレゼンテーションの内容を考える前にあなたがすべきことがあります。「私は、誰に向かって話すのか？」という自分への問いです。そこで知っておきたいのが、聴衆分析です。聴衆分析とは、話の対象者を把握し、対象者に合わせたプレゼンテーションの対策を練ることを言います。準備期間のあるプレゼンテーションの場合、事前に聴き手を分析すれば、的外れな内容を防止できたり、聴き手に理解しやすい言葉や例えを選ぶことができたり、何をどの範囲まで、どの深さまで話したらいいか、おおよその見当がつきます。そうすることで無駄な労力を省くことができ、与えられた時間内で内容をまとめることが可能です。また、初対面で話すような事前の聴衆分析が困難な場合もありますが、話しながら聴き手の反応や状況を瞬時に読み取り、柔軟に内容や伝え方を調整していけば、聴き手の理解を得やすくなるでしょう。これからは何を話すかの前に、誰に話すか「聴衆分析」を忘れずに活用してください。

何を分析するのか？

たとえば、以下のようなものが考えられますが、全てを網羅する必要はありません。

聴き手の属性：国籍、性別、年代、職業、出身地など

聴き手の予備知識：経験の有無／程度、知識の程度（専門用語の理解度）、受容態度（賛成・中立・反対）など

聴き手の関心：聴き手のモチベーションのレベル、判断基準や価値観、期待や望み、聴き手のタブー（不快に思うこと・先入観）など

その他：プレゼンテーションの持ち時間、話の場（教室、飲み会、会社の面接など）

実際にどうするのか？

　授業内の短い時間で関係性の薄い間柄、大人数といった状況では、なかなか聴衆分析をするのは難しいところです。まずは、聴き手を見渡しましょう。そして、授業中のグループワークは、聴衆分析のための情報収集ができる絶好のチャンスだと心得て、中途半端でも自分が話そうと思っていることを話してみましょう。クラスメイトがわからない所を質問してくれます。また、聴き手は話題をどこまで知っているのか、知らないのか、興味はあるのか、ないのか、何を知りたいのか、どんどん自分から質問しましょう。すると、自分が想像していなかった説明を入れる必要が出てきたり、自分が言いたいと思っていた情報が不要となったりするので、ぼんやりしていた事柄の輪郭が徐々に浮かび上がってくるのです。

　これは企業の経営でも同じです。どの企業も、いきなり新商品を作るわけではありません。市場調査をして、顧客のニーズに合うものを商品化するように、プレゼンテーションの世界でもまた、聴き手を意識して、聴き手の理解に沿うように、準備しましょう。

聴衆分析チェックシート　〜聴き手を知って戦略を練る〜

聴き手の属性は？
職業
性別
世代
国籍（出身地）

聴き手の予備知識は？
経験の有無／程度
知識の程度（専門用語の理解度）
受容態度（賛成・中立・反対）

聴き手の関心は？
聴き手のモチベーションのレベル
判断基準や価値観
期待や望み
聴き手のタブー（不快に思うこと・先入観）

※このシートは、各章でも使えるように、ダウンロード教材に入っています。

タスク 2-3　もしも聴き手が○○だったら（個人/グループ）＊

（1）聴衆分析の観点から、もしも聴き手が以下の人たちだったら、あなたは次の文章を
　　どのように加筆・修正しますか？（個人）

例文1

> どうも、吉池です。某大学の2回生です。出身は鳥取砂丘の近くで、ほんと何もないんですけど、最近やっとあの有名なカフェができました。今は、淵野辺で1人暮らししています。今年の夏から町田のコンビニでアルバイト始めたんですけど、今月キャンペーンやってて、ニーキュッパぽっきりで商品が買えるので、ぜひみなさん、来てみてください。

もしも聴き手が、、、

　　①　小学2年生のクラス

　　②　日本に来たばかりの日本語初級の留学生がいるクラス

　　③　ラマダン中（断食中）の留学生がいるクラス

　　④　菜食主義者（ベジタリアン）がいるクラス

例文2

> こんにちは。佐藤樹利亜といいます。現代プロデュース学部コンテンツビジネス専攻の1年です。好きなことはスポーツと、あとテーマパークです。中学からサッカーをしててボランチです。ランドとシーはどっちが好き？ってよく聞かれるんですけど、私はランドが好きです。よろしくお願いします。

もしも聴き手に、、、

　　①　70代の人がいたら

　　②　スポーツに興味がない人がいたら

　　③　外国人がいたら

（2）グループの中で個人の見解を共有し、グループで話し合って、より適切な文章を作り
　　ましょう。

（3）各グループの代表が発表してください。どこをどのように加筆・修正しましたか？
　　なぜそのように修正しましたか？

＜コアワーク＞

1. プレゼンテーションを検討しよう

　ここまで、自己理解と他者理解と聴衆分析を通じて「話す」ということについて考えてきました。ここからは、自分でプレゼンテーションを行うための具体的な準備に入ります。

タスク 2-4 印象に残るのはどっち？（個人→グループ）＊

（1）AとBの自己紹介文を比較して、どちらが印象に残りますか。印象に残る、あるいは残らない理由をリストアップしてみましょう。（個人）

（2）どちらの自己紹介が印象に残るか、グループで意見を共有しましょう。

［自己紹介　A］

　こんにちは、吉池ひろしです。

　出身は鳥取県で、鳥取砂丘の近くに実家があります。田舎で、何もないところで、鳥取県知事が「スタバはなくとも、スナバはある」＊と言っていましたが、ついに 2015 年に 1 号店ができて、今は 4 店舗あります。鳥取には、ご当地のフラペチーノがあって、鳥取といえばスイカや梨が有名なのですが、キャラメル味で美味しいそうです。僕は食べたことがありません。今年の 4 月から大学の近くの淵野辺に引っ越して、1 人暮らししています。小学校ではサッカーと水泳、中学では陸上、高校ではアメリカのホームステイ先のホストファミリーに紹介されて自転車の BMX をやってました。大学では文化祭実行委員会に入っています。趣味は料理とゲームと、K-POP の動画を観るのが好きです。

　よろしくお願いします。

＊令和 2 年 12 月ふるさと鳥取県だより

[自己紹介　B]

> こんにちは、吉池ひろしです。よっしーと呼んでください。これから自己紹介します。
>
> 私は鳥取県出身で、大自然の中ですくすくと育ちました。みなさんは鳥取に来たことがありますか？　鳥取は大自然に恵まれています。私の実家は、みなさんも一度は聞いたことがある鳥取砂丘の近くです。砂丘の先には真っ青な日本海が広がっています。港の防波堤でよく釣りをしていました。夜になると人工の光が届かないので、天の川がよく見えるんです。満天の星の光を浴びながら育ちました。
> それから、私はカレーが大好きです。大学進学で、鳥取から神奈川県の淵野辺に引っ越して初めての１人暮らしの中で、お金を節約するために自炊を始めました。カレーが大好きなので、最初はレトルトで済ませていたんですが、レトルトに具材をアレンジしたり、スパイスを足したり、隠し味を入れてみたり、毎日研究するほど好きです。自分好みの辛さやいろいろな材料を試しながら、自分の納得のいくオリジナルカレーをいつか自分で作ってみたいです。私のカレー研究のために、お薦めのカレー屋さんを知っていたら、ぜひ教えてください。
>
> 以上、鳥取の大自然で育ち、カレー好きなよっしーでした。これから一学期、よろしくお願いします。

ポイント！

　自己開示することは話しやすい環境作りに欠かせないことは前述した通りです。しかし、時間制限のあるプレゼンテーションで、広く浅い情報を羅列しても、聴き手は受け止めきれず印象に残りません。自己紹介で大事なことは、相手の記憶に自分の足跡を残すことです。あなたの名前、顔、声を見聞きした時、聴き手が「あ！　あの〇〇の人だ！」と思い出してもらえたら大成功です。自己紹介では広く浅く語るのではなく、焦点を絞った「具体例やエピソード」を入れて、情報を提供しましょう。では、具体的にどういうプロセスを踏めば聴き手の記憶に残る自己紹介ができるか、これから準備していきましょう。

三部構成：序論・本論・結論

　ここでは、プレゼンテーションの骨組みとなる構成、つまり時間の流れとともにどのように話す内容を組み立てるかを検討していきます。

　プレゼンテーションは声を使って言葉を届けます。基本的に聴き手は音声に頼って理解していくことになります。言葉は、聴き手には見えておらず、話し手のペースで流れていくため、プレゼンテーションには、聴き手にとって理解しやすい基本的な組み立てがありま

す。それが、序論、本論、結論の三部構成です。序論では話の要点を伝えて聴き手に聴く準備をしてもらいます。本論は話の詳しい内容を示す部分です。序論で伝えた項目について具体例やエピソード、理由や根拠を交えて示すので、本論に一番長く時間をとることになります。結論では忘れないように再び要点を示してプレゼンテーションをまとめます。書かれた文章ならば、読み手のペースで何度でも読み返せます。しかし、発表では、聴き手は流れゆく言葉を止めるわけにはいきません。だからこそ、耳で聴いてわかりやすい構成が必要になってくるのです。

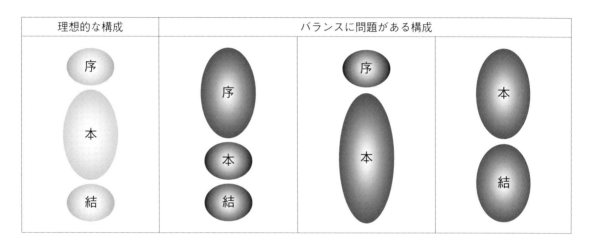

三部構成のそれぞれの時間配分としては上の図の一番左の理想的な構成を使いましょう。ところが、三部構成であっても、序論に時間がかかりすぎて肝心の本論で充分な説明ができない場合や、本論で充分な説明を盛り込んだものの時間がなくて急に終わる場合、いきなり本論から話し出し聴き手を混乱させる場合などのバランスの悪い構成は避けましょう。発表する時は、序論：本論：結論が、1：3：1ぐらいの割合になるように構成し、聴き手の理解を助けましょう。

2. プレゼンテーションを作ろう

ここではプレゼンテーションの内容を検討していきます。

 イメージマップで内容を決めていく（個人）＊

イメージマップとは、頭の中にあるアイディアを見える形にし、情報を効率的に把握し深く理解するための道具です。まず、紙の中央にメインテーマを配置して、そこから連想されるアイディアを関係づけながら、放射状に展開します。必ず単語か短文で書きます。イラストを描いてもOKです。

イメージマップ

（1）自己紹介に関するイメージマップを作ります。プリントの真ん中に自分の名前（クラスで呼ばれたいニックネームなど）を書いて、「わたしは○○」に該当する単語をどんどん書いてください。そして、○○から連想される思い出や具体例を、その周辺に書きましょう。正解・不正解はありません。自由にクリエイティブに書いてみましょう。

三部構成を意識して話す、具体例を入れて説明する、聴き手に届く声、聴き手を見て話す

（2）次に、今回話したい「話題」を2〜3つ程度選びましょう。

　　　プレゼンテーションは聴き手へのプレゼントです。あなたのことは他の聴き手はよく知りません。知らないことを知るのは嬉しいものです。エピソードや具体例があると聴き手にとってわかりやすくなります。

　　　ただし、自分にとって話題が広がらないものは話しにくくなります。また、自分の愛犬や好きなアーティストの話を広げすぎると、自己紹介になりません。話題選びのヒントとしては、ギャップを利用することです。たとえば、きゃしゃな女子が空手の有段者であったり、チャラそうな男子が書道部の部長であったりする自己開示は聴き手の興味をひきます。

構成シートを作ろう
ダウンロード教材（構成シート）を使用してください。

フリップチャート

　白紙に自分の名前（読み仮名やクラスで呼ばれたいニックネーム）と、紹介したい話題（キーワードまたは短文）を書いて見せながら話すのもいいでしょう。基礎知識24　ビジュアルエイドを参考にしてください。その他にイラストを描いたり、小道具や効果音を使ったりしてもいいです。このような視聴覚情報は聴き手の理解を助け、より印象づけることができるので活用してみてください。

吉池ひろし
（よっしー）
①大自然育ち
②カレー大好き

3. デリバリー

聴き手を見て、聴き手に届く声で話す

「伝えよう」とする気持ちが大前提

「『店内ですか、お持ち帰りですか』とお客さんに聞いても、お客さんが「えっ？」と聞き返すのです。私はマニュアル通りに言っているのに、どうして伝わらないのでしょうか」と接客のアルバイトをしている学生から質問がありました。

その学生の意識はマニュアル通りに話そうというものでしたが、お客さんに伝えようという意識がないため、心のこもらない機械的な話し方になっていたのです。まずは、「相手に伝えよう」という意識をもって、マニュアルの表現を声に出す必要があります。あなたの心のこもった語りかけに対して、お客さんが反応するのです。もし、あなたが「マニュアル通りにしなければ」と自分だけに意識が向いていたら、お客さんの反応は期待できません。まずは相手に「伝えよう」という気持ちが出発点になります。

声と目線でメッセージを届ける

クラスメイト全員の前で話す場合は、ただ単に声が大きければ良いという訳ではありません。クラスメイトとコミュニケーションをとろうとする意思を持たずに大きな声を発すると、聴き手にとってはうるさいだけの声になってしまいます。しかし、聴き手ひとりひとりを視野に入れて、その人たちに「メッセージを届けたい」という気持ちをもって声を発すると、自然に適切な距離感を伴った声になります。誰に声を届けたいのか、という意識をしっかりもって声を発しましょう。そのためには聴き手を見て話すことが大切です。

また、声の小さい人もただ単に声を大きく出そうとすると、苦しいだけで声は大きくなりません。この場合は誰に声を届けたいのかが明確になっていないのと、息が聴き手の方向に流れていないことが原因です。まずは身体をリラックスさせて、聴き手に向けて「フー」と息を流すつもりで声を出しましょう。そして聴き手を見て、その人に「メッセージを届けたい」という気持ちを込めてメッセージを発すると、聴き手に声が届くようになります。第1章のタスク1-2「アイコンタクト」、タスク1-8「息を前に流す」を参照してください。

 ## 相手に声を届ける練習（グループ）

（1）クラスメイトとペアになりましょう。

（2）2人で向き合って、相手の目を見て、相手に届く声で、交互に「おはようございます（こんにちは）。よろしくお願いします。」と声を出し合いましょう。この時お辞儀をする必要はありません。

（3）（2）が終わったらお互いに1歩ずつ後ろにさがり、（2）と同じように声を出し合いましょう。それが終わったら、お互いにさらに一歩ずつさがって、相手の目を見て声を出し合うことを繰り返します。教室の壁に自分の背中がつくまで繰り返しましょう。

（4）全員の背中が壁についた状態になったら、全員を視野に入れて、全員に「メッセージを届けよう」という気持ちをつくって一緒に声を出しましょう。

注意：クラスメイト全員で行いますから、途中で別のペアの人が自分たちの間に立つこともあると思います。その場合は自分のペアの顔が見えるように左右に立ち位置をずらしましょう。

＜リフレクション＞

２章ルーブリック：自己紹介（自己理解と他者理解）

学習到達度 評価観点	4 基準以上	3 基準	2 少しできている	1 できていない
聴衆分析	聴衆の知識や経験を意識して、興味関心を引きつける情報や表現の選択ができている。	聴衆の知識や経験を意識して、情報や表現の選択ができている。	聴衆分析が不充分である。	聴衆分析がされていない。
構　成	三部構成ができている。 文章のつなぎがスムーズで流れが自然である。	三部構成（序論・本論・結論）ができている。	三部構成が部分的にできている。	三部構成ができていない。
内　容	自己紹介に必要な情報が具体的に提供されている。 話し手の個性が感じられる情報が含まれている。	自己紹介に必要な情報が具体的に提供されている。	自己紹介のための情報はあるが、具体性に欠ける。	自己紹介のための情報が不充分である。
デリバリー	聴き手全員にアイコンタクトをとりながら、聴き手に届く声で語りかけている。	聴き手全員を見て、聴き手に届く声で話している。	目線が聴き手に向いていない。 または、 声が聴き手に届かない。	目線を上げられず、声が聴き手に届かない。
ラポール形成	聴き手に意識を向けていて、関係作りができている。 オープニングやクロージングの工夫ができている。 聴き手を巻き込んでいる。	聴き手に意識を向けていて、関係作りができている。 オープニングやクロージングの工夫ができている。	聴き手との関係作りが不充分である。	聴き手との関係作りができていない。

視聴覚情報を使った場合：

視聴覚情報	視聴覚情報が独創的で、効果的に使われている。	視聴覚情報の内容と提示方法が適切である。	視聴覚情報を使っているが、適切ではない。	視聴覚情報を使っていない。

1. 発表前

⑴ あなたの準備をチェックしましょう。今、どのレベルで発表の準備ができているか、ルーブリックに✓マークを入れましょう。

⑵ 今回の発表で、最もがんばりたいところは何でしょうか？

(　　　　　　　　　　　　　　　　　　　　　　　　　　　　　　　　　　　)

2. 発表後：ふりかえり

⑴ 自分の発表の録画・録音を視聴して、ルーブリックに自己評価として○マークを付けてください。

⑵ ⑴の動画とクラスメイトからのフィードバックシートを確認して、考えたことを具体的に書いてください。

良かった点：

改善すべき点：

⑶ 自分以外の発表から学んだことを書きましょう。

レポートを書こう
ダウンロード教材（レポート作成フォーマット）を使用してください。

第 3 章　情報を提供する

この章で学ぶこと	構成：時系列、全体と具体例、並列の構成を考えて話せる。
	内容：的確に情報を伝えるために、客観的に説明することができる。客観と主観、抽象と具体を区別できる。
	デリバリー：聴き手が理解しやすいように、話す速さや間を調整する。

ウォーミングアップ

タスク 3-1
こんなモノ使っています

タスク 3-2
どんなカバンか説明しよう

タスク 3-3
これってどういうこと？

基礎知識 7
客観的と主観的

タスク 3-4
客観的に伝えよう

基礎知識 8
抽象的と具体的

タスク 3-5
情報のカテゴリー化

コアワーク

1. プレゼンテーションを検討しよう
基礎知識 9
3 つの構成タイプ

タスク 3-6
構成タイプを見分ける

タスク 3-7
2 つの発表例の比較

基礎知識 10
序論・結論での聴き手への働きかけ

2. プレゼンテーションを作ろう
タスク 3-8
ワークシート作り

3. デリバリー
基礎知識 11
意味を伝える

タスク 3-9
意味を伝える情報提供

発　表

リフレクション

ルーブリック

1. 発表前
(1)準備チェック
(2)今回の目標

2. 発表後
(1)ルーブリックの記入
(2)クラスメイトからのフィードバックを読んで
(3)自分以外の発表から学んだこと

この章では、どのようにしたら聴き手に効果的に情報を提供することができるかを学びます。私たちは、日々多くの情報を手に入れ、情報によってものごとを判断し、行動する生活を送っています。情報を聴き手に伝えることは、コミュニケーションを形成する上でとても重要です。なぜなら、私たちは情報を伝え合うことを常に行いながら、家庭、学校、職場などで人間関係を築き上げているからです。

＜ウォーミングアップ＞

初めに、自分に関する事物を客観的に相手に伝えることについて学び、そのあと情報を提供するプレゼンテーションを行います。3つの構成のタイプ「時系列」「全体と具体例」「並列」の中からテーマに合ったタイプを選び構成を考えます。話の順序を整理して、客観的にわかりやすく話す課題にも取り組みましょう。さらに聴き手がよく理解できるように、話す速さを調整して間を入れるスキルを学びましょう。

タスク3-1 こんなモノ使っています（ペア/グループ）＊

自分の持っているモノを見せながら、人にわかりやすく伝える Show & Tell（物を見せながら語る）をグループで行いましょう。

① 自分の持っているモノで、みんなに見せたい品物を一つ決めてください。「お気に入りのアイテム」「実はとても安かったモノ」など何か選びましょう。そして、それについて説明したいことを1分間で例を参考にしてたくさん考えてください。

例：気に入っている点とその理由、いつ・どこで購入したか、モノについての面白いエピソードなど

② 3〜5人のグループになりましょう。みんなで向き合って話せるように机や椅子の向きを変えましょう。
③ グループで順番を決めて、自分の紹介したいものをみんなに見せながら説明します。
（1人1分程度）

モノを使って説明するのと、モノがないのとどちらが話しやすいですか。Show & Tellは、モノを見せながら語ります。話し手は、モノがあると「話しやすい」「思い出しやすい」「何を話すか思いつきやすい」などのプラス面を活かすことができます。また自分の持ち物を見せて話すことは、聴き手との心理的距離を近づけることに繋がります。聴き手は、話し手が見せたモノの情報と共に、話し手のおすすめしたい理由やエピソードを聞くと、さらに興味を持つかもしれません。お互いに持ち物を見せて話すことで、楽しく安心して活動できる集団作りをしていきましょう。（ラポール形成）

タスク 3-2 どんなカバンか説明しよう（個人/グループ）＊

あなたはどんなカバンを使っていますか？

カバンの色、サイズ、形、材質は「客観的事実」です。カバンの好みは「主観的意見」です。たとえば、「丈夫なものがいい」「かわいいデザインがいい」「持ちやすさを重視する」など、人によって意見が異なりますね。あなたが良いと思っても他の人はそうは思わないかもしれません。

あなたが今持っているカバンを説明してみましょう。
① 3～5人のグループになりましょう。
② グループのメンバーの持っているカバンの中から1つ選びましょう。
③ 選んだカバンについて、次の表の感覚別の欄にカバンの情報を記入しましょう。
④ 表に書き込まれた情報が「客観的事実」であれば○印、「主観的意見」であれば△印をつけましょう。

	カバンの情報
視覚	（例）ポケットが2つある○、丈夫そう△
触覚	
聴覚	
嗅覚	

カバンの情報から、「客観」と「主観」の違いに気づくことができましたか。相手に伝える情報が「客観的事実」であれば的確に伝わります。

タスク 3-3 これってどういうこと？（ペア／グループ）＊

身近な友人や家族、新聞記事やニュース、幅広い世代の人々が使う抽象的な表現について考えてみましょう。抽象的な表現は、共通した要素を抜き出して一般化しています。それを具体的な表現で伝えると、聴き手が理解しやすくなります。

教室の席の前後で3～5人のグループに分かれ、お互いの顔が見えるように机を移動します。「可愛い」「リスクがある」「すごい」について指示された具体的表現を1人ずつ発表します。終了したら、お互いに感想を言いましょう。

（1）「可愛い」は「kawaii」という日本語そのもので世界に広まっている抽象的表現です。可愛いと思うものを具体的にあげてみましょう。

可愛い	具体的表現（例）パンダの赤ちゃんが哺乳瓶でミルクを飲む様子。
	具体的表現1
	具体的表現2
	具体的表現3

（2）「リスクがある」は、広くあらゆる分野で使われている抽象的な表現です。リスクがあると思うことを具体的にあげてみましょう。

リスクがある	具体的表現（例）暗号資産を大量に買うこと。
	具体的表現1
	具体的表現2
	具体的表現3

（3）「すごい」は程度が甚だしいことを示す抽象的な表現です。すごいと思うことを具体的にあげてみましょう。

すごい	具体的表現（例）甲子園に出場したこと。
	具体的表現1
	具体的表現2
	具体的表現3

（4）　他の表現についても考えてみましょう。例：「人気がある」「頑張る」「やばい」

客観的と主観的

　情報を提供する時には、聴き手に客観的に伝えることが最も重要です。客観的に伝えるとは、「事実に基づいて、特定の立場にとらわれず、的確に伝える」ということです。事実に基づいているので誰もが同意します。これに対して、主観的とは、自分の考えや感情によるので、他の人は同意するかもしれないし、同意しないかもしれません。

　ウォーミングアップの「どんなカバンか説明しよう」で客観的事実と主体的意見の違いを取り上げましたね。次の2つの文は、どうでしょうか。

　A　徳川家康は江戸幕府の<u>最も優れた将軍</u>であった。
　B　徳川家康は江戸幕府の<u>初代の将軍</u>であった。

　Aの「最も優れた将軍」という表現は、話し手の主観的な判断です。Bの「初代の将軍」は、系図資料に基づいた客観的な事実ですね。情報提供スピーチの場合、いろいろと調べた事実を正確に伝えるために、話し手がこの2つの違いを認識しておかなければなりません。聴き手は、「情報を客観的に説明する話し手」に信頼をおくことになるでしょう。

客観的に伝えよう（個人/グループ）＊

①　客観的に伝える練習をしましょう。次の1～6の文の中で客観的に伝えているのはどの文でしょうか？それを選んだ理由も述べましょう。

　1　私は早起きで、起きてすぐ朝食を食べる。
　2　私は朝6時に起きて、6時15分に朝食を食べる。
　3　この教室の温度は30度だ。
　4　この教室はすごく暑い。
　5　日本の高校生の読解力は低くなった。
　6　2015年のOECDの調査では、日本の高校1年生の読解力は8位から15位に下がった。

②　次の7、8は主観的な表現です。客観的な表現に変えてみましょう。どこを修正したか述べましょう。

7　レポートの提出期限をちょっと遅らせてもらいたい。

（　　　　　　　　　　　　　　　　　　　　　　　　　　　　　　　　　）

8　両目の視力がかなり落ちたので、安いメガネを購入した。

（　　　　　　　　　　　　　　　　　　　　　　　　　　　　　　　　　）

抽象的と具体的

　私たちは個別の多くのものに囲まれて生活をしています。それらは衣服・靴・食べ物などの分類にまとめて抽象的に表すことができます。抽象的な表現は、共通した要素を抜き出して一般化しているのです。誰かとコミュニケーションをとる時に、個別の「青いネーム入りのTシャツ」や「先月買ったランニング用の靴」を取り上げることもあれば、一般論として衣服の話や靴の話をすることがありますね。話し手は、「具体的な事柄」を話したり、「抽象的な概念」を話したりしています。抽象は難しい言葉だと思っていませんか。実は私たちはコミュニケーションをとる時に、抽象的な表現を日常使っています。たとえば、次の会話を見てみましょう。

　会話例1　　A：〇〇銀行のシステムがダウンした！
　　　　　　　B：ATMが使えないってことなの？
　　　　　　　A：そう。困ったなあ。システムの復旧には時間がかかるという話だから。

　会話例2　　A：現在のシステムでは人員が足りなくなりそうだ。
　　　　　　　B：来月の販売に間に合うようにシステムを作り替えなくてはいけないね。

「システム」は抽象的な概念です。それ自体を見ることも触ることもできません。モノを要素とするシステムは、工業製品の自動車やパソコンなど、人を要素とするシステムは、制度、組織などが挙げられます。「会話例1」はオンラインバンキングの仕組み、「会話例2」は企業の組織の仕組みですね。現代社会の幅広い分野で「システム」は使われています。

　抽象的な表現は、普遍性のあるメッセージで、核となる内容を簡潔に表したものです。

　これに対して具体的な表現は、個別の事例をわかりやすく表しています。聴き手にとって理解しやすくなり、話し手の意図が伝わりやすくなると言えるでしょう。現代社会では多くの情報を伝達する必要があるので、情報を伝える時に「抽象的」と「具体的」の違いを理解しましょう。

タスク 3-5　情報のカテゴリー化(個人/グループ)＊

　情報を提供する時に、複数の情報を整理したり、カテゴリーにまとめたりすると何を伝えるか明確になります。カテゴリーは同種のものが属する「分類」のことです。もともと哲学や論理学で使われ、現在は多くの分野で「範疇（はんちゅう）」という日本語で使われています。情報のカテゴリー化は抽象的な概念を具体的な事例で説明する練習になります。またカテゴリー化ができるようになると、発表の構成がしやすくなります。

　たとえば「スマホ依存症」をテーマにした発表の準備を取り上げてみましょう。
　まずテーマについて思いついたこと、考えたことを取り出します。

・寝る時間が短くなる
・いつも誰かと繋がっていないと不安になる
・友達から返信が来るとすぐ返さなくてはいけない
・場所やお店を調べる時、スマホに頼る
・電車に乗っている時はいつもスマホを見ている
・家族との会話が減った
・目が悪くなる
・アルバイト募集情報をスマホで見る

　これらをカテゴリーに分けて、スマホ依存症と結びつけて図を作ります。図Ⅰのように「時間」「心身」「交流」「情報」のカテゴリーに分けると、観点が明確になりますね。
図Ⅰ

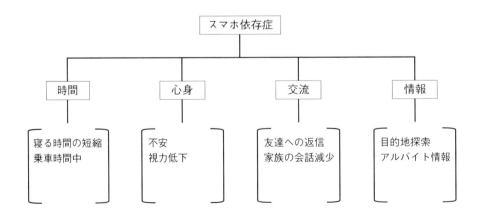

（1）　次の文章は、図Ⅰのカテゴリーのどこにどのように入れるか考えてみましょう。

・おいしいお店を探す　　　　　・１日５時間もスマホを見る

・スマホがないと孤独を感じる　・数人でグループを作る

・頻繁にサークルの連絡をとる　・なかなかやめられない

（2）　他にもカテゴリーに入るものを考えてみましょう。

（3）　次の図Ⅱについて①～③の手順で、具体的事例から抽象的な概念を導き出す練習を
しましょう。

　　　①　〔　　　　　〕の中に次の項目をカテゴリーに分けて記入しましょう。

　　　　　バレンタイン、お中元、結婚式、クリスマス、成人式、お正月、卒業式、母

　　　　　の日、お見舞い

　　　②　　A　に適切な分類名を考えて記入しましょう。

　　　③　　B　に①、②から導き出される抽象的な概念を記入しましょう。

図Ⅱ

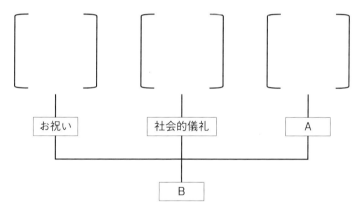

＊図Ⅰ、図Ⅱを参考にして、その他「コミュニティ」「電化製品」「サービス」「アイドル」
「スポーツ」「ＣＭ」「動画」なども考えてみましょう。

<コアワーク>

1.プレゼンテーションを検討しよう

　ここでは、みなさんが情報提供の発表をするために、どんな話題を選ぶか、どのような構成が効果的か考えてスピーチの発表に向けた準備をしていきます。

　最近は、どんな情報でもインターネットやSNSで簡単に入手できます。それを見れば「情報を得る」ことは難しくない時代になりました。情報提供には、どんな意味があるのでしょうか。

　たくさんの情報からどれを選ぶかは、話し手の判断に委ねられます。話し手は、選んだ情報について、事実を客観的に聴き手にわかりやすく伝えて発表をします。同時に、話し手は、聴き手の理解を深めるために構成を工夫します。

　一方聴き手は、話し手が選んだ情報を客観的に詳しく知ることによって、内容を理解することができます。それは聴き手にとっては新しい情報かもしれません。興味が出てきてもっと知りたくなることもあるでしょう。

　つまり情報提供の発表は、話し手が選んだ情報を聴き手に伝えるというプロセスを通じて、知識、経験、価値観、考え方の異なる人々が情報を共有していくことに意味があるのです。

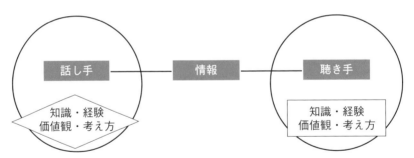

① 話し手 ― 情報

　話し手は、聴き手にぜひ伝えたい情報を選びます。自分が興味のあるもので、聴き手にとって有益であると考えられるものをたくさんの情報から探します。その情報は信頼性のあるものでなければなりません。情報の種類は、品物、出来事、人物、音楽、社会問題、環境問題など多岐にわたるでしょう。

② 話し手 ― 聴き手

　話し手は選んだ情報について、聴き手に伝わるように客観的に詳しく話します。聴き手が興味を持って聞き続けられるように工夫します。また事実と自分の解釈を分けて伝えることも必要です。聴き手は、興味を持ったことやもっと知りたいことについて話し手に聞き

ましょう。さらに自分の解釈も伝えると話し手が新しい捉え方を発見するかもしれません。

③　情報　—　聴き手

　話し手から伝えられた情報をもとに、聴き手は本や服などの品物を買ったり、音楽を聴いたりするでしょう。その情報が聴き手の興味や関心を高め、行動や考え方に影響を与えるのは、双方向のコミュニケーションによるものです。

3つの構成タイプ

　情報提供のスピーチは、そのスピーチを聴いた人が、テーマについて興味を持ったり、疑問に思っていたことが理解できたりすることが目的です。さらに「海外に行ってみたい」「ボランティアに参加しよう」と行動を起こさせる場合もあります。聴き手に伝える情報提供の目的に応じて、スピーチの構成を決めるといいでしょう。

【時系列】

　時間の経過と共に進行していくことを軸にした構成です。

　物を作る作業や料理の手順、人物や事物の歴史、事件の経過などは、このタイプです。順番や年代を示すことで、わかりやすくなります。時間を追って整理されて話されるので、聴き手にとっては理解しやすい内容と言えるでしょう。

「過去・現在・未来」の時間の流れに沿って、情報を提供することもあります。

　自動車の動力源の移り変わりを話す場合、「蒸気機関自動車」（過去）から「ガソリン自動車」（現在）、そして「燃料電池自動車」（未来）のように時系列の構成がふさわしいでしょう。

過去　現在　未来

　また年代別や月別などもテーマに応じて工夫すると、わかりやすい構成になります。

【全体と具体例】

　聴き手が話の概要をつかめるように、最初に全体像を示します。次に個別の情報を挙げて、より具体的な例を加えていきます。聴き手が全体を把握してから、情報の内容を掘り下げていくので、より理解が深まる構成です。

　これを逆にする方法もあります。聴き手の興味を惹きつけるために、最初に具体的な例を話します。それについて説明した上で、最後に全体像をまとめて話す方法です。聴き手側から見ると、身近でわかりやすい導入なので興味を持ちやすく、話が進むと詳しい情報

が得られ、最後に全体像をつかむことができる構成です。

【並列】

　いくつもの同質の情報がある場合は、その中から話し手が重要だと考えるものを3つ程度選んで、構成を考えます。情報をただ並べるだけではなく、ポイントを一言で表すようにするとわかりやすくなります。重要度が高いものから並べる方法もあります。

（例）各地の公式マスコットキャラクター

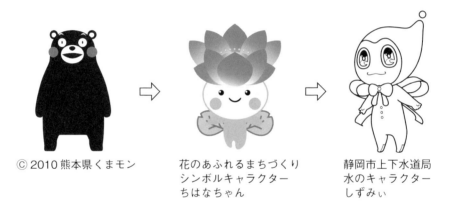

© 2010 熊本県くまモン　　花のあふれるまちづくり　　静岡市上下水道局
　　　　　　　　　　　　　シンボルキャラクター　　　水のキャラクター
　　　　　　　　　　　　　ちはなちゃん　　　　　　　しずみぃ

 タスク 3-6　構成タイプを見分ける（個人／グループ）＊

　情報提供の発表は、情報の内容によって構成を変えることで、聴き手が理解しやすくなります。構成タイプを使いわけて、プレゼンテーションの質を高めていきましょう。
（1）A、B、Cの構成タイプとそれを選んだ理由を空欄に記入しましょう。（個人作業）

[情報提供　A]	Aの構成上の特徴は？
バーベキューの時に、黄色のトウモロコシがあると映えますよね。でも準備するのは結構めんどうです。初めに鍋に湯を沸かす。次にトウモロコシの皮をむいて、鍋に入れて茹でる。最後に食べやすい大きさに切る。ところがレンジを使うととても簡単に調理できます。初めにトウモロコシをラップに包む。次にレンジで４分間温める。最後に皮をむいてトウモロコシを食べやすい大きさに切る。これで完成です。鍋を使う必要がありません。うまみや甘さも水に溶け出さないので、とってもおいしい！　みなさんもぜひ試してみてください。	

[情報提供　B]	Bの構成上の特徴は？
東京の上野はパンダだけではありません。近代日本の文化と芸術の中心地です。大学生が常設展に無料で入場できる美術館や博物館がたくさんあります。たとえば、上野駅公園口から３分歩くと国立西洋美術館があり、ロダンの「考える人」などたくさんの彫刻が目に入ります。さらに進むと、国立科学博物館があり、大きな恐竜が展示されています。その先に日本最古の博物館である東京国立博物館があります。この建物は重要文化財に指定されています。どこも展示スペースが広くおしゃれなカフェなどが併設されています。	

[情報提供　C]	Cの構成上の特徴は？
ウイルス感染症を防ぐために、日常生活の３つの対策を話します。一つ目は、マスク着用、二つ目は、手洗いとうがい、三つ目は、外出時のアルコール消毒です。まずマスクの着用は、飛沫を出さない、取り込まない効果があります。次に手洗いとうがいは、家の中にウイルスを持ち込まない、自分を守る対策です。家に帰ったらハンドソープをつけて、指の間から手首まで丁寧に洗いましょう。うがいも口の中全体をきれいにするように数回行います。最後に外出時のアルコール消毒は、他の人にウイルスを感染させないために面倒がらずに行いましょう。	

（２）グループになって（１）を共有して、最終的に構成タイプを決めてください。

A（　　　　　　　　　　　）

B（　　　　　　　　　　　）

C（　　　　　　　　　　　）

　情報提供の発表では、正しい情報を、聴き手に客観的に提供することが求められます。誤った情報や話し手の考えたことを事実として伝えることは避けなければなりません。また話し手はわかっていても、聴き手が理解できていないところはできるだけ具体的に伝えるとわかりやすくなります。

2つの発表例の比較(個人/グループ)＊

① 次の情報提供の【発表例Ⅰ】について、客観的、具体的に話すとわかりやすい部分に下線を引きましょう。

② この【発表例Ⅰ】について、聴き手としてもっと知りたいことを3つ挙げてみましょう。

③ この【発表例Ⅰ】をより良くするためにどんな工夫ができますか。

④ ①②③をグループで共有しましょう。

【発表例Ⅰ】

構成	内容
序論	こんにちは、地球環境学部1年の藤井麻凛です。 　今日は、私が愛用しているマイボトルについて話します。好きな飲み物を入れられるマイボトルは、経済的でエコです。最近使っている人も増えているようです。みなさんにも使ってもらいたいので聞いてください。
本論	マイボトルを持つようになったきっかけは、会社員の姉が使っているのを見ていいなと思ったからです。マイボトル買ってみたら、思ったより安かったですよ。大きさがちょうどよく持ち運びに便利です。朝、好きな飲み物を入れていつでもどこでも飲めるので、コンビニを探して買う必要がありません。ペットボトルを買わないのでエコにも繋がっているかなと思います。 　マイボトルを使う前より、節約できています。1人暮らしをするようになって、出費を抑えるためにやっています。飲み物をコンビニや自販機で買うと結構出費が多いとわかってから、マイボトルを愛用するようになりました。
結論	今日は、私が使っているマイボトルについて話しました。これで発表を終わります。ありがとうございました。

次に【発表例Ⅰ】と【発表例Ⅱ】を比べてみましょう。

① どのような点が違いますか？　気づいた点をできるだけたくさん挙げましょう。

② 【発表例Ⅱ】では、聴き手の理解を助けるための工夫がされています。どんな点がわかりやすいですか？　具体的に説明してみましょう。

③ ①②で取り上げた点を【発表例Ⅱ】のポイントと照らし合わせてみましょう。

【発表例Ⅱ】

構成	内容	ポイント
序論 実物を見せる 	こんにちは、経済学部1年の佐藤珠世です。 　みなさんの中でマイボトルを使っている人はいますか？　私はこのマイボトルを愛用しています。（マイボトルを見せる）大学に入学してから使うようになりました。今日は、マイボトルの便利なところ、経済的でお得な点、環境にもやさしい点の3つについて話します。 　みなさんにマイボトルの良さを知ってもらって、ぜひ使ってほしいと思います。	○挨拶 ○名前 ○質問文 ○自分との関係性 ○話題提示 ○聴衆に伝えたいこと
本論 フリップ を見せる 画像を見せる 	私が、マイボトルを持つようになったきっかけは、会社員の姉が使っているのを見て、便利でよさそうと思ったからです。このマイボトルは姉のおすすめで買いました。ステンレス製で、重さはおよそ300g、高さ17cmで容量は350mlです。持ち歩くのに最適な大きさです。値段は1290円。おすすめのポイントは洗いやすいことです。マイボトルは洗うのが面倒だという人が多いそうです。このタイプは蓋と本体、中蓋の3つのパーツを洗えばいいので、洗いやすいですよ。（蓋、本体、中蓋を見せる） 　次にマイボトルはとっても経済的だという点をお話しします。私は大学に入ってから、1人暮らしを始めて、節約しようといろいろ計算してみました。飲み物をコンビニで買うとおよそ110円です。20日購入して一ヶ月で2200円。朝、好きな紅茶のミントティをマイボトルに入れると一袋30円なので20日で600円。この差額は1600円です。1年間で計算するとなんと19200円節約できます。（フリップを見せる） 　最後に、マイボトルは環境にやさしいのです。日常生活でマイボトルを使えば、ペットボトルやプラスチック容器を減らすことに直接繋がります。燃やす時に出るCO_2が削減され、地球温暖化防止になるのです。大学で環境学の授業をとって、茅ヶ崎海岸の清掃ボランティアにクラスメイトと一緒に参加しました。30リットルのゴミ袋が90袋、合計2700リットルのゴミが集められ、正直驚きました。（海岸の画像を見せる） 　海洋プラスチックゴミを減らすことで、海の生態系を守ったり海洋汚染を防いだりすることができます。 　地球を守るために私たちが行動を起こすことの重要性を改めて知りました。身近なマイボトルが私たちの未来を変えると考えています。	○並列型の構成 1.マイボトルの利便性 2.マイボトルの経済性 ○具体的な数字 3.マイボトルと環境問題 ○話題についてのエピソード ○具体的な数字
結論	今日は、みなさんにマイボトルの利便性、経済的で節約できる点、それから環境にやさしい点を話しました。マイボトルで日常を変えることは、気候変動や海洋汚染を解決する、環境問題への取り組みに繋がります。マイボトルに興味を持ってくれた人がいたら、ぜひ使ってみてください。 　これで発表を終わります。ありがとうございました。	○重要事項のクローズアップ ○まとめになる抽象的表現 ○聴き手への働きかけ

【発表例Ⅱ】では視聴覚情報を工夫しています。

　マイボトルの実物を見せて聴き手の興味を引き、蓋、中蓋、本体に分解して洗いやすさを強調しています。また海岸のプラスチックゴミの実態を知らせるために写真を見せています。さらに発表までにA3用紙で次の図のようなフリップを準備して、数字をわかりやすく説明できるようにしました。

ペットボトル	110 × 20=2200円
マイボトル	30 × 20=600円
一ヶ月の差額	1600円
一年では	1600 × 12=19200円

　このように、実物、フリップ、画像を見せるほかに、曲を聴かせる、ホワイトボードに書く、実演するなどの視聴覚情報を使って、プレゼンテーションの内容が聴き手によく伝わるように工夫しましょう。

　発表の場面では、聴き手の反応を見ながら、必要な情報や具体的な表現を選ぶことも大切です。聴き手が興味や関心を持って聞くために、話し手は聴き手が理解できているかどうかを見ながら、話を進める必要があるのです。基礎知識24を参照のこと。

 ## 基礎知識10　序論、結論での聴き手への働きかけ

　聴き手への働きかけを意識すると、話の内容への興味を呼び起こし、心理的距離を縮めることができます。序論と結論では呼びかけや質問、誘いかけなどが必要です。

　序論では、発表の話題を提示します。

「今日は○○についてみなさんに紹介します。」

「今日は○○の使い方と利点をみなさんに話します。」

　話し手は何を話すかが明確になり、聴き手にとってはどのような内容の発表なのかがわかりますね。さらに話す順序を示すと（「最初に」「次に」「最後に」など）、発表の流れが見えて聞きやすくなります。

　聴き手とのラポールを築くために、話し手が聴き手にその情報を伝えたい理由を話すといいでしょう。その情報と話し手との関わりがわかり、心理的距離が縮まります。また聴き手への呼びかけや質問も効果的です。

「みなさん、どんなテレビ番組を見ますか。」

「私はよく本を読みますが、みなさんの中で本が大好きな人はいますか。」

「K-POPが好きな人、手を挙げてください。」

　プレゼンテーションは音声による伝達であるため、書き言葉のように読み返すことがで

きません。聴き手が情報を確認し理解を深めるためには、繰り返しが重要です。そこで結論では、重要な情報のクローズアップをすると効果的です。その際、本論と全く同じ言葉をそのまま使うよりは、抽象的な表現で締めくくると印象に残ります。

　例　（本論：具体的）悪魔をイメージしたメイクアップで低
　　　　　　　　　　　　い声でうなるバンドです。
　　　　　　　　　　　　　↓
　　　（結論：抽象的）独特な世界観で聴かせるバンドです。

　最後に、聴き手の心を動かすために、誘いかけ文を入れるといいでしょう。
「テレビについて考えてみてください。」
「紹介したこの本をぜひ買ってみてください。」
「K-POPのコンサートにいきませんか。」

2. プレゼンテーションを作ろう

　ここまでは、プレゼンテーションの構成・内容のポイントについて考えてきました。ここからは自分で発表を行うための準備に入ります。

　準備の手順は 選ぶ→探る→集める です。

　発表のテーマを何にしようか悩みますね。情報を提供するテーマを選ぶ時には、初めに自分がよく知っていること、知りたいと思っていることを書き出します。あなたが選んだ情報が聴き手にとって有意義なものであって、新しい知識を得たり、行動を起こしたりすることに繋がるといいでしょう。

タスク 3-8 **ワークシート作り（個人／グループ）＊**

【プレゼンテーションのテーマを選ぶ】

情報提供にフォーカスしたアイディアを出すために次の一覧表を完成させましょう。

複数のアイディアを取り出して、テーマになる可能性のあるものを選びます。

	項　目	内　容
1	出身地 （出身地周辺を含む）	
2	これまでの活動 （スポーツ・音楽など）	
3	趣味や特技 （○○鑑賞・○○収集・読書・料理など）	
4	これまでに訪れた場所 （観光地・世界遺産など）	
5	仕事やボランティア （アルバイトなど）	
6	専門的分野の興味 （人文科学・芸術・語学・情報など）	
7	社会問題 （環境・制度・人口・差別など）	
8	その他	

自分に近いテーマ

↕

社会に近いテーマ

【聴き手の興味を探るワークシート】

①3〜4人のグループになって、上のワークシートを見ながら、順番に1人が選んだトピックについて話します。

②それを聴いた人はそのテーマについていろいろと質問しましょう。

③順番に①と②を繰り返しましょう。

④聴き手全員の質問を受けて、聴き手の興味、関心のあるテーマを1つ選びましょう。

⑤下の表に書き込みましょう。

	選んだテーマ	聴き手からの質問	自分では気づかなかったこと 調べる必要のある情報
1			

【材料を集めるイメージマップ】

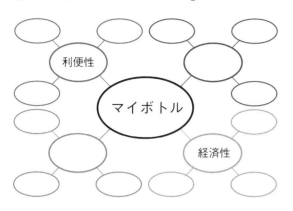

テーマが決まったら、第2章で学んだイメージマップで材料を集めましょう。

情報提供のプレゼンテーションの場合は、次のような点に留意して構成に繋げていきましょう。

・同じような内容や種類に分けて、カテゴリー化する。
・取捨選択して重要なアイディアを絞り込む。
・アイディアについて相互の関連性を考えて順序づける。

基礎知識9で学んだ「3つの構成タイプ」やタスク3-6「構成タイプを見分ける」を参考に、あなたが選んだテーマに沿った構成を考えましょう。

> 構成シートを作ろう
> ダウンロード教材（構成シート）を使用してください。

3. デリバリー

 基礎知識 11　意味を伝える

　1つの文章は意味のまとまりのある表現が繋がって出来上がっているので、情報提供では意味を伝えることを意識することが重要です。意味を伝えるためには、ただ滑らかに話すだけでなく、文の意味や強調したい語彙を意識しながら言葉を繋げていくとメッセージが明確に聴き手に伝わります。文章を音節ごとに区切ったり、助詞を強めて読んだりすると強調したい語彙が不明確になり、文章のつながりや意味が伝わりにくくなります。

意味を伝える情報提供（個人／グループ）＊

（１）　お店での接客のメッセージで、意味がよく伝わってこないものや記憶に残りづらい
　　ものをあげてみましょう。そして、それはどうしてなのかを考えてみましょう。

例）・店内ですか。お持ち帰りですか。

　　　・当店のポイントカードは、お持ちですか。

〈メモ〉

（2）

① 下の「正しい手の洗い方」のマニュアルの１語１語を丁寧に読みましょう。

［正しい手の洗い方］

①

流水でよく手をぬらした後、石けんをつけ、手のひらをよくこすります。

②

手の甲をのばすようにこすります。

③
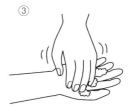
指先・爪の間を念入りにこすります。

④

指の間を洗います。

⑤

親指と手のひらをねじり洗いします。

⑥
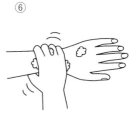
手首も忘れずに洗います。

② 上のマニュアルの意味を考えながら読みましょう。

③ 聴き手に、マニュアルの指示を守ってもらえるように気持ちを込めて伝えましょう。ジェスチャーをつけると良いです。グループメンバーで一文ずつ分担しましょう。

ポイント！

発表の時も聴き手に意味を伝えることを意識すると、自然に話す速さや間の調整ができます。

＜リフレクション＞

第3章ルーブリック：情報を提供する

学習到達度 評価観点	4 基準以上	3 基準	2 少しできている	1 できていない
聴衆分析	聴衆の知識や経験を意識して、興味関心を引きつける情報や表現の選択ができている。	聴衆の知識や経験を意識して、情報や表現の選択ができている。	聴衆分析が不充分である。	聴衆分析がされていない。
構　成	三部構成ができている。 本論がトピックに合った構成になっている。 文章のつなぎがスムーズで流れが自然である。	三部構成（序論・本論・結論）ができている。 本論がトピックに合った構成になっている。	三部構成ができていない。 または、 本論がトピックに合った構成になっていない。	三部構成ができておらず、本論もトピックに合った構成になっていない。
内　容	トピックに関する必要な情報を客観的、具体的に提供している。 事実と自分の考えを区別している。	トピックに関する必要な情報を客観的、具体的に提供している。	トピックに関する情報が示されているが、分かりにくい。	トピックについての情報が不充分である。
デリバリー	聴き手全員にアイコンタクトをとりながら、聴き手に届く声で語りかけている。 話の内容や言葉の意味が伝わるように声の使い方を工夫している。	聴き手全員を見て、聴き手に届く声で話している。 話の内容や言葉の意味が伝わるように話す速さの調整ができている。	目線が聴き手に向いていない。 または、 声が聴き手に届かない。	目線を上げられず、声が聴き手に届かない。
ラポール形成	聴き手に意識を向けていて、関係作りができている。 オープニングやクロージングの工夫ができている。 聴き手を巻き込んでいる。	聴き手に意識を向けていて、関係作りができている。 オープニングやクロージングの工夫ができている。	聴き手との関係作りが不充分である。	聴き手との関係作りができていない。

視聴覚情報を使った場合：

視聴覚情報	視聴覚情報が独創的で、効果的に使われている。	視聴覚情報の内容と提示方法が適切である。	視聴覚情報を使っているが、適切ではない。	視聴覚情報を使っていない。

1. 発表前

(1) あなたの準備をチェックしましょう。今、どのレベルで発表が準備できているか、ルーブリックに✓マーク を入れましょう。

(2) 今回の発表で、最もがんばりたいところは何でしょうか？

(　　　　　　　　　　　　　　　　　　　　　　　　　　　　　　　　　　　　　)

2. 発表後：ふりかえり

(1) 自分の発表の録画・録音を視聴して、ルーブリックに自己評価として〇マークを付けてください。

(2) (1)の動画とクラスメイトからのフィードバックシートを確認して、考えたことを具体的に書いてください。

良かった点：

改善すべき点：

(3) 自分以外の発表から学んだことを書きましょう。

> レポートを書こう
> ダウンロード教材（レポート作成フォーマット）を使用してください。

第 **4** 章　経験を語る

この章で 学ぶこと	構成：時間の経過を踏まえた三部構成ができる。
	内容：情景描写、人物描写、心理描写を用いて、聴き手とイメージを共有する。
	デリバリー：表情、ジェスチャー、声を話の内容と一致させる。

ウォーミングアップ

タスク 4-1
あいまいさ VS. 明確さ

タスク 4-2
共通のイメージ作り

タスク 4-3
名作鑑賞

タスク 4-4
小説家になったなら

コアワーク

1. プレゼンテーションを検討しよう
基礎知識 12
体験を伝えること

2. プレゼンテーションを作ろう
タスク 4-5
インタビュー活動
基礎知識 13
話の順番を考える
タスク 4-6
プレゼンテーションの全体像をつかむ
基本構成パターン

3. デリバリー
基礎知識 14
発表の時の語り方
タスク 4-7
様々な語り方
基礎知識 15
情景と感情を聴き手と共有する
タスク 4-8
感情表現ジェスチャー

発

表

リフレクション

ルーブリック

1. 発表前
(1)準備チェック
(2)今回の目標

2. 発表後
(1)ルーブリックの記入
(2)クラスメイトからのフィードバックを読んで
(3)自分以外の発表から学んだこと

この章では、自分の経験したことをわかりやすく語りながら、その感情や気づきを伝える方法を学んでいきます。自分の心の中に強く残っている経験には、あなた自身の強い感情、気づき、学びが含まれています。経験を語ることで、聴き手から共感を得ることもでき、聴き手に新しい知識を提供することも可能です。また、いろいろな人の経験談を聴くことは感性を豊かにし、人生についての洞察力を深めます。

＜ウォーミングアップ＞

 あいまいさ VS. 明確さ(個人／グループ)＊

説明 A と B を読んでください。聴衆が共通のイメージを持てるのは、どちらの説明でしょうか。その理由も考えてください。

- 説明 A 「四角形を描いてください。四角形の中に丸を 2 つ描いてください。」

- 説明 B 「サインペンの黒と定規を用意してください。縦 3 cm, 横 5 cm の長方形を描いてください。長方形の中心を使って半径 1.5cm の円を一つ描きます。その内側に半径 1 cm の同心円を描きます。」

 共通のイメージ作り:妄想ダイアログ(個人／グループ)＊

場面リストから場面を選び、その場面をできるだけ、想像力豊かに詳しく考えて言葉で表現してみましょう。

グループで行う場合は例のように、1つの絵を<u>一緒に描くつもり</u>で話していきます。1人が一つずつ、思いつく物と場所を決めて、説明していきます。前の人が言ったイメージを捉えて、さらに自分で何かを付け加えていって場面を完成させましょう。(次の会話例とイラスト参照)

＜場面リスト＞
・深夜の学生寮の玄関

・決勝戦前のサッカー部の部室

・ゴージャスな生徒が通うゴージャスな中学校の教室

・心霊スポット

・50 年後の大学の教室

・○○さんのサプライズパーティー会場

＜会話　深夜の学生寮例＞

A:　玄関の前はラウンジになっていて、正面に階段があります。

B:　ラウンジ・スペースにはカラフルなソファーが２つあります。

C:　あ、その中の赤いソファーにＴシャツと短パンの男子が寝ています。

 名作鑑賞：心情描写を考える（個人／グループ）＊

　次の文章を読んで、どんな気持ちが表現されているか、感情の言葉リストを参考に考えてみましょう。いろいろな解釈があるかもしれません。そして、なぜそう思ったのか理由も考えてください。

（１）　ある晴れた昼さがり、市場（いちば）へ続く道

　　　荷馬車がゴトゴト子牛を乗せて行く

　　　かわいい子牛　売られてゆくよ

　　　悲しそうな瞳で　見ているよ

　　　　　　　　　　　　　　　　　　　　　安井かずみ訳詞

（２）　雪が溶けて川になって　流れて行きます

　　　つくしの子がはずかしげに　顔を出します

　　　もうすぐ春ですね　ちょっと気取ってみませんか

　　　風が吹いて暖かさを　運んで来ました

　　　どこかの子が隣の子を　迎えに来ました

　　　もうすぐ春ですね

　　　彼を誘ってみませんか

　　　　　　　　　　　　　　　　　　　　　穂口雄右作詞

（3）雪やこんこ　あられやこんこ

　　降っては　降っては　ずんずん積る

　　山も野原も　わたぼうしかぶり

　　枯れ木残らず　花が咲く

　　　　　　　　　　　　　　　　　　　　　　　　　　　　　　　文部省唱歌

（4）ざわわ・・・　広いさとうきび畑は

　　ざわわ・・・　風が通りぬけるだけ

　　昔　海のむこうから　いくさがやってきた

　　夏の日ざしのなかで

　　　　　　　　　　　　　　　　　　　　　　　　　　　　　　寺島尚彦作詞

（5）瀬をはやみ　岩にせかるる　滝川の　わかれても　末に逢わむとぞ思ふ　　　崇徳院

（6）明治屋に初めて二人で行きし日の苺のジャムの一瓶終わる　　　　　　　　　俵万智

（7）この世をばわが世とぞ思う望月の欠けたることもなしと思えば　　　　　　藤原道長

＜感情の言葉リスト＞

嬉しい　楽しい　喜び　幸せ　がんばろう　好き ドキドキ　希望　達成感　ウキウキ　ルンルン おかしい　満足　ほっこり　達成感　面白い　恋しい ワクワク　前向き　すがすがしい　さわやか　安心 落ち着いた　おだやかな　しみじみと　ほっとした くったくない　ゆかい　いとおしい　感謝	辛い　悲しい　ムカつく　切ない　緊張　苦しい 焦る　落ち着かない　孤独　さびしい　後悔　怖い 絶望　心配　不安　嫌い　苦手　イライラ　後ろ向き 敗北感　挫折　ザワザワ　　退屈　苦手　嫌い ぴえん　怒り　むなしい　もやもやする　あきれる いたたまれない　がっかり　心が痛む　うしろめたい

 タスク 4-4　小説家になったなら（個人／グループ）＊

「深い悲しみ」と感情を説明することもできますが、「深い悲しみ」を聴き手の五感に訴え
るように表現してみましょう。たとえば、「その時、深い穴に落ちたように感じました。ど
んなに叫んでも、泣いても、二度と這い出すことができないと思えるほど、絶望のどん底
に落ちたのです。」のように作家になったつもりで以下の感情を表現してみましょう。

　・深い悲しみ　・非常に驚いた　・安心　・とても面白い　・とても嬉しい　・さびしい

①　個人で、あるいはペアになって感情を表現してみましょう。

②　3〜5人程度のグループになって、それぞれの作品を紹介し合い、ベスト作品を選ぶ。

③　各グループのベスト作品を読み上げて、クラス大賞を決めましょう。

＜コアワーク＞

1.プレゼンテーションを検討しよう

【A】は序論・本論・結論があります。【B】は本論の部分だけが示されています。【A】と【B】の本論の部分を比べ以下の問いに答えましょう。

① どちらの文章が出来事の様子や主人公たちの動きがありありとイメージできますか。

② あなたが映画監督ならどちらの方が映像を作りやすい文章でしょうか。それはなぜでしょうか。

【A】

序論	エリンの家族は東南アジアのどこかの国から来た人たちなんです。僕が小学校の時の6月に、うちの隣に引っ越してきて、同じクラスになって。日本語は全然、わからないみたいだけど、僕はエリンのカフェラテ色の肌と緑色の目がかわいいと思っていました。夏休みは4つ年上の兄と僕とエリンでよく遊んでいました。
本論	10月に僕と母とエリンと3人で遊園地でハロウィーンのパレードを見たんですよ。兄は塾があるから来ませんでした。その後、花火があったんですが、エリンはとても怖がっていました。僕はエリンをなだめて、「空を見て」と言ったら、エリンは空を見て、片言の日本語で「キレイ！」と言いました。そのあと、僕にハグしてきました。もう、僕、びっくりしました。
結論	これが僕の思い出です。

【B】

本論	たくさんの乗物に乗った後、僕たちは広場に行きました。空が暗くなったころ、音楽と一緒にカボチャのお化けたちの行進が始まりました。キラキラ光る乗物の上で妖精や動物たちがダンスをしているのを見るとなんだか楽しくなりました。 「タンタンタン　Trick or treat! タンタンタン　Trick or treat!」不思議な歌に合わせて、僕たち子どもはカボチャのお化けや妖精たちと一緒に輪になって踊りました。エリンは踊るだけではなく、大きな声で英語で一緒に歌っていました。 　その後、急に音楽が止まったんです。そして、「ヒュードーン！」と大きな音がしたんです。「きゃー！」とエリンは叫んで、しゃがみこんでしまいました。「アパ？」と僕の知らない言葉を繰り返しながらエリンが泣いています。その時は必死になって「大丈夫、これ、花火だよ。目を開けて、空を見て。」と僕は言っていました。 　エリンはゆっくり泣き顔を空に向けました。 　空いっぱいに大きな花火が広がって、たくさんの流れ星の雨が僕たちに降ってくるように感じました。エリンは静かになって、空を見て「キ、レイ！」と一言だけ言って、花火に見とれていました。しばらくして「ヨッキ！」とエリンは僕を呼びました。エリンの緑色の目が僕をじっと見ていました。そしてハグしてきて、「アク　サヤン　カムー」と言いました。エリンからは綿菓子の匂いがほんのりしました。 　僕の心臓はバクバクしてました。

 基礎知識 12 **体験を伝えること：情景描写、心理描写、人物描写**

　あなたが「辛かった」と言えば、聴き手はあなたの気持ちを本当に理解して共感してくれるのでしょうか。それは無理です。（図1）を見てください。

図1　言語の伝達プロセス

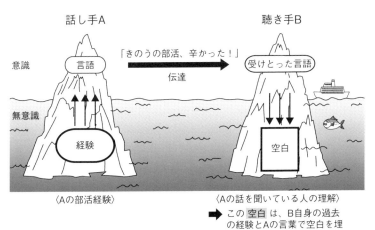

話し手Aの「辛かった」という言葉は伝わっても、具体的な情報がないと、聴き手の無意識レベルでは空白のままです。そこで、聴き手Bは自分自身の過去の経験の記憶でその空白を埋めようとします。結果、あなたの経験と異なるイメージが聴き手Bの中にできてしまいます。聴き手が複数いれば、ひとりひとりが全く異なるイメージを持ってしまいます。それでは、聴き手全員にあなたの経験や気持ちを正確に伝えたことにはなりません。

　あなたが自分の経験を聴き手に伝えるために、するべきことは、具体的な情報を提供することです。図2を見てください。

図2　経験と言語のギャップ

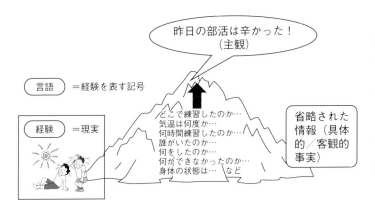

　あなたの経験はいろいろな事実が詰まった現実です。具体的な情報を提供することで、聴き手の空白の中にあなたの現実のイメージを伝えることができます。もちろん、現実の全てを言語で表現することは不可能ですが、あなたを「辛い」気持ちにさせたいくつかの事実（出来事の積み重ね）から、聴き手は、あなたの経験により近いイメージを持つことができます。そして、あなたの気持ちを的確に想像し、共感をすることができます。

「情景描写」とは、聴き手の心にあなたが見た風景や情景がはっきりイメージできるように描写することです。3章の情報提供でも説明したように、具体的な情報を入れると、聴き手はイメージしやすいでしょう。絵ではなく、言葉を使って、風景をスケッチするといいでしょう。その場の臨場感やリアリティが出せます。また、優れた情景描写はその場の人や話し手の心理を伝えることができます。たとえば、タスク4-3の(1)「ドナドナ」の歌詞ですね。絵画のように見ている人の心情も反映しています。

同様に「昨日、すてきな人に出会ったの！」ということを伝えたければ、その「すてきな」部分の具体的な情報を提供しましょう。たとえば、その人の顔や表情、身長、服、しぐさ、声、話した言葉、香り、触れた時の柔らかさ、何をしたのか、しなかったのかなどの情報を伝えることで「人物描写」になります。ここでも、丁寧な人物描写をすることで、その人物の性格や話し手がその人物についてどのように思っているかを伝えることができます。

　それに対して、自分の心の中で思っていることをあえて、言葉に出して表現することを「心理描写」と言います。その時の感情を表現する方法です。しかし、その感情に至るまでのプロセスには具体的情報としての出来事の積み重ねがあり、それが説明されていることで、聴き手の理解や共感を深めることができます。たとえば、「辛い」という感情がなぜ起こったのかを伝える背景的情報を提供する必要があります。「情景描写」「人物描写」「心理描写」は厳密に区別できるものではありませんが、これらの３つのポイントを意識して、思い出の中の小さな出来事を時系列に合わせて表現していきましょう。

　３分から５分程度のスピーチに、具体的な情報を入れていくためには、修学旅行の１週間分の話をするのではなく、その１週間で一番印象的だったシーンについて詳しく話すことが効果的です。

　あなたの体験を語るために、具体的情報（出来事）を思い出してください。５Ｗ１Ｈ「いつ、どこで、だれが、何を、なぜ、どのように」というポイントを出すといいでしょう。さらに、五感（視覚、聴覚、嗅覚、味覚、触覚）で感じたことも書き出してみましょう。

2.プレゼンテーションを作ろう

（１）イメージマップで具体的なことを思い出そう！
　　第2章のタスク2-5の「イメージマップで内容を決めていく」を参照してください。
　　次のイメージマップは【B】のプレゼンテーションの例です。

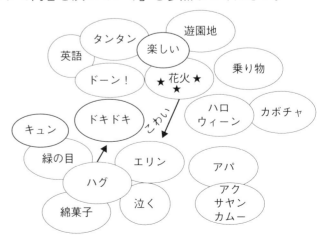

（2）インタビューを受けて記憶を思い出そう！

　自分の経験は1人で考えるだけでなく、相手から質問されることで忘れていた記憶が思い出されたりします。以下のようなインタビュー活動を友達としてみて、記憶を活性化しましょう。思い出した記憶は、先ほど作ったイメージマップに追加してもいいでしょう。

 ## インタビュー活動（ペア/グループ）＊

① 2人組をつくります。最初に話し手と聴き手（質問をする人）の役を決めます。あとで、交替します。

② 話し手が1分程度で自分の経験をおおまかに話します。（聴き手は情景をイメージしながら聞いてください。）

③ ひとまとまりの話を聞いたら、聴き手は話し手の経験を具体的にするために、できるだけたくさんの質問をしましょう（5分〜10分ぐらい）。何か新しい事実が浮かび上がってきたら、それについても質問しましょう。

④ 話し手は質問されて新しく思い出したことをイメージマップなどにメモをしておくといいでしょう。

 ## 話の順番を考える

　あなたの過去の経験を話すとしても、あなたの目の前には「現在を共有する聴き手」がいます。ですから、序論では「現在」を意識して、聴き手に興味を持ってもらえるように聴き手と自分が共有できそうな話題から聴き手と自分のつながりをつくりましょう（ラポール形成）。そして、本論に入る前に前提となる背景的情報を提供することで、本論の一場面がより詳細に説明しやすくなります。

　本論では過去の出来事を順番に語っていくと、聴き手が理解しやすくなります。1つの場面はいくつかの出来事で構成されています。それぞれの出来事について、順序良くその時の情景描写、人物描写、心理描写を入れていきましょう。

　また、結論ではもう一度「現在を共有する聴き手」に意識を戻しましょう。その後の物語として、聴き手が知りたいだろう情報を提供します。そして最後にこの経験を振り返って、今の自分の気持ちやその経験から学んだことを付け加えるといいでしょう。

プレゼンテーションの全体像をつかむ（個人/グループ）＊

① 段落構成と聴衆の理解のしやすさを意識して、以下の原稿を読んでみましょう。

② 次に発表者の五感（視覚、聴覚、嗅覚、味覚、触覚）がどのように表現されているか確認してみましょう。

【Bのプレゼンテーション】

構成	内容	解説
序論	おはようございます。人間科学部の吉田哲也です。	挨拶と名のり
	みなさん、綿菓子はどんな味がしますか。甘いですね。でも、僕にとっては綿菓子は優しくて、甘酸っぱい、インドネシアの風なんです。	呼びかけ （ラポール形成） みんなの知っているものとの関連性、意外性を示す。
	僕が小学校3年生の時にエリンと言うインドネシアからの転校生がクラスに来ました。カフェラテ色の肌と緑色の瞳の女の子で、日本語はほとんど話せませんでした。 エリンの家族は僕の家の隣に引っ越してきたので、よく一緒に遊ぶようになりました。	背景的事情 / 場面設定（エリンとの人間関係とエリンの人物描写）
	僕の忘れられない思い出は、その年の秋に僕の母とエリンと3人で行った遊園地のことなんです。「季節のテーマパーク」というところで、植物園の中にいろいろな乗物があります。	本論へのつなぎのための言葉
本論	たくさんの乗物に乗った後、僕たちは広場に行きました。空が暗くなったころ、音楽と一緒にカボチャのお化けたちの行進が始まりました。キラキラ光る乗物の上で妖精や動物たちがダンスをしているのを見るとなんだか楽しくなりました。	出来事①：広場の情景と自分の気持ち
	「タンタンタン　Trick or treat! タンタンタン　Trick or treat! 」不思議な歌に合わせて、僕たち子どもはカボチャのお化けや妖精たちと一緒に輪になって踊りました。エリンは踊るだけではなく、大きな声で英語で一緒に歌っていました。	出来事②：音楽と自分たちの様子
	その後、急に音楽が止まったんです。そして、「ヒュードーン！」と大きな音がしたんです。「きゃー！」とエリンは叫んで、しゃがみこんでしまいました。「アパ？」と僕の知らない言葉を繰り返しながらエリンが泣いています。その時は必死になって「大丈夫、これ、花火だよ。目を開けて、空を見て。」と僕は言ってました。	出来事③：花火の音とエリンの様子（姿勢、言葉、泣き声）、自分の行動
	エリンはゆっくり泣き顔を空に向けました。 空いっぱいに大きな花火が広がって、たくさんの流れ星の雨が僕たちに降ってくるように感じました。エリンは静かになって、空を見て「キ、レイ！」と一言だけ言って、花火に見とれていました。しばらくして、「ヨッキ！」とエリンは僕を呼びました。エリンの緑色の目が僕をじっと見ていました。そしてハグしてきて「アク　サヤン　カムー」と言いました。エリンからは綿菓子の匂いがほんのりしました。 僕の心臓はバクバクしてました。	出来事④：一番伝えたい場面：広がる花火、エリンの表情と声、香り、自分の身体反応
結論	だから、今でも綿菓子の匂いがすると、僕の胸はキュンとします。そして、緑の瞳と「ヨッキ！」と僕の名前を呼ぶエリンを思い出します。	今の自分の気持ちと過去の関連性
	僕たちが4年生になってすぐ、エリンの家族は、オランダに引っ越しました。僕は今、インドネシア語を習っています。8歳のエリンが言った「アク　サヤン　カムー」という言葉は「大好き」と言う意味でした。これが僕の初恋なんだろうと、今は思っています。	その後のエリンと自分 この出来事からの気づき

基本的構成パターン

　Bのプレゼンテーションの構成を見てみましょう。思い出を語る時は、序論で「現在目の前にいる聴き手」とのつながりを作ってから、本論で、出来事と気持ちを時系列で聴き手に語ります。出来事は2つから4つくらいあればいいでしょう。最後に「現在の目の前の聴き手」が知りたいだろう情報を提供し、自分の気持ちでまとめています。

構成	解説	
序論	・現在の聴き手を意識して、興味を持ってもらう ・本論の前提となる情報の聴き手への説明 ・本論へつなげる	
本論	時系列 →	出来事①（情景、人物、心理）
		出来事②（情景、人物、心理）
		出来事③（情景、人物、心理）
		出来事④（情景、人物、心理）
結論	・現在の聴き手を意識して、その後の情報提供（今の気持ち、その後の物語、気づき）	

構成シートを作ろう
ダウンロード教材（構成シート）を使用してください。

3. デリバリー

 発表の時の語り方

構成シートが完成したからといって、「もう、発表の準備はできた！」と思ってはいけません。実際の発表は文章ではなく、声を使って語ることなのです。どんなに内容が素晴らしくても、声がその情景や気持ちと合っていなければ、意味が伝わりません。自分の声の出し方を楽しく実験しながら、表現の幅を広げていきましょう。

 様々な語り方（個人／グループ）＊

① 次の歌詞を1行ごとに指示に合わせて読みます。

・グループの場合は読む行を分担して輪読して読んでいきましょう。

・奇数行、偶数行に分けて読み方を変えて読むこともできます。

1　ある晴れた　昼さがり

2　市場へ　続く道

3　荷馬車が　ゴトゴト

4　子牛を　乗せて行く

5　かわいい子牛　売られてゆくよ

6　悲しそうな瞳で　見ているよ

7　ドナ　ドナ　ドナ　ドナ

8　子牛を　乗せて

9　ドナ　ドナ　ドナ　ドナ

10　荷馬車が　揺れる

11　青い空　そよぐ風

12　燕が　飛びかう

13　荷馬車が市場へ

14　子牛を　乗せて行く

15　もしも翼が　あったならば

16　楽しい牧場に　帰れるものを

17　ドナ　ドナ　ドナ　ドナ

18　子牛を　乗せて

19　ドナ　ドナ　ドナ　ドナ

20　荷馬車が　揺れる

> ＜指示＞ 以下のような読み方をしてみよう！
>
> ・自分にとっての普通の声
> ・ゆっくり／早口
> ・高い声／低い声
> ・大きい声／小さい声
> ・笑いながら／泣きながら／怒りながら
> ・5歳児になって
> ・100歳のおじいさん、おばあさんになって
> ・お国言葉で（東北、関西、九州など）
> ・厳しい先生／ヤンキー学生
> ・政治家／ラッパー
> ・初めてデートする恋人同士
> ・喧嘩をしている中学生同士
> ・コンピュータの音声

②　どうでしたか。いろいろな声を出して音読するとどんなことを感じましたか、気がつきましたか。みんなで話し合ってみましょう。

　悲しいドナドナの歌詞も笑いながら読むと、ぜんぜん違う内容に思えてきませんか。声の調子によって、伝わり方が変わってしまいます。みなさんが発表をする時、その内容に合わせた声を出し、間を考えて語ると、聴き手に効果的に伝わります。

　たとえば、Ｂのプレゼンテーションの本論部分は、状況を語る時はナレーターをイメージして語るといいでしょう。そして、お母さんの声、少年の声、エリンの声、3人のキャラクターごとに語り口を変えてみると、イキイキした会話になり、その場面が再現されます。

　自分の物語に合わせて、声に表情をつけていくと、その場面をイキイキと伝えることができます。語りかけ方を工夫したスピーチにチャレンジしてみましょう。

基礎知識 15　情景と感情を聴き手と共有する

　個人的なストーリーは話し手と聴き手の脳を同期させると言われています。私たちは感情に訴える比喩や登場人物同士の感情のやり取りを聴くと、脳にある言語・視覚・感覚・運動領域が活性化され、話し手の脳波が聴き手の脳波に映し出されます。ですから自分の経験を話す時は、話し手はその時の情景をイメージし、その時の感情を体感しながら話すと聴き手に話の情景や話し手の感情が伝わります。

　また、話し手が本当に伝えたいことや本当の気持ちを話している時は自然に表情・ジェスチャー・声が言葉と連動してその人らしい話し方になります。聴き手は作られた表情・ジェスチャー・声ではなく、話し手の気持ちや人柄を感じとれた時に心を動かされます。

　どんなに流暢な発表でも、聴き手が話し手の人間味を感じられなかったり、不自然さがあったりすると聴き手は発表者に惹きつけられず、話にも引き込まれることはないでしょう。

　第1章のタスク1-9「表情を柔らかくする」、タスク1-3「感情当てゲーム」を参照してください。

タスク 4-8　感情表現ジェスチャー（グループ）＊

① 　3〜4人のグループになり、誰から始めるか順番を決めましょう。
② 　最初の人が感情が大きく動いた状況をジェスチャーのみで伝え、グループメンバーはその状況を当てます。

　　ジェスチャーをよく見て、答えと思うものをどんどん声に出していきましょう。
③ 　当たったら次の番の人に移ります。

ジェスチャーの例）
　・服に飲み物をこぼしてしまった！
　・大好きな人に告白された。
　・夏休みの宿題が終わらない！
　・スーパーのレジでお金を払おうとしたら、財布／携帯を忘れたことに気がついた。
　・オンライン授業で発言をしていたが、マイクをオンにしていなかった。
　・大学の入学式で小学校時代の親友に出会った。
　・一生懸命走ったのに、電車に間に合わなかった。
　・宝くじで1000万円当たった。

- 大好きなアイドルと握手をした。
- 高所恐怖症の人がつり橋を渡っている。
- 深夜自宅へ歩いて帰る途中、後ろから誰かが付いてきているのを感じた。
- 海で泳いでいたら、足がつった。
- 海で泳いでいたら、サメに遭遇した。
- （その他、自分の感情が動いた場面を自由に演じてもいい）

注意！

　これはジェスチャーやパントマイムのうまさではなく、その意味を察する聴き手側の共感力を高める練習でもあります。オンラインの場合、必ず全員オンカメラで行いましょう。カメラでは全身を映し出すことは難しいですが、顔、腕など上半身をうまく使って感情を表現してみましょう。オンラインの場合、表情やジェスチャーは少し大げさにすると相手に伝わりやすいです。また目線はカメラに向けるといいでしょう。

〈メモ〉

＜リフレクション＞

第4章ルーブリック:経験を語る

評価観点 ＼ 学習到達度	4 基準以上	3 基準	2 少しできている	1 できていない
聴衆分析	聴衆の知識や経験を意識して、興味関心を引きつける情報や表現の選択ができている。	聴衆の知識や経験を意識して、情報や表現の選択ができている。	聴衆分析が不充分である。	聴衆分析がされていない。
構　成	三部構成ができている。 ストーリー性を意識した独創的な構成である。	三部構成（序論・本論・結論）ができている。 時系列を意識して本論が組み立てられている。	三部構成ができていない。 または、 本論の組み立てが不適切である。	三部構成ができておらず、本論の組み立ても不適切である。
内　容	情景・人物・心理描写が巧みで、聴き手とイメージが共有できる。	聴き手とイメージが共有できるように情景・人物・心理描写を用いている。	情景・人物・心理描写が不充分である。	情景・人物・心理描写がない。
デリバリー	表情、ジェスチャー、声が話の内容と一致している。 情景・人物・心理描写に合わせて声の使い方を工夫している。	表情、ジェスチャー、声が話の内容と一致している。	表情、ジェスチャー、声が話の内容と充分に一致していない。	表情、ジェスチャー、声が話の内容と一致していない。
ラポール形成	聴き手に意識を向けていて、関係作りができている。 オープニングやクロージングの工夫ができている。 聴き手を巻き込んでいる。	聴き手に意識を向けていて、関係作りができている。 オープニングやクロージングの工夫ができている。	聴き手との関係作りが不充分である。	聴き手との関係作りができていない。

視聴覚情報を使った場合:

	4	3	2	1
視聴覚情報	視聴覚情報が独創的で、効果的に使われている。	視聴覚情報の内容と提示方法が適切である。	視聴覚情報を使っているが、適切ではない。	視聴覚情報を使っていない。

情景描写・人物描写・心理描写を使って聴き手とイメージを共有する

1. 発表前

(1) あなたの準備をチェックしましょう。今、どのレベルで発表の準備ができているか、ルーブリックに ✓マーク を入れましょう。

(2) 今回の発表で、最もがんばりたいところは何でしょうか？

(   )

2. 発表後:ふりかえり

(1) 自分の発表の録画・録音を視聴して、ルーブリックに自己評価として〇マークを付けてください。

(2) (1)の動画とクラスメイトからのフィードバックシートを確認して、考えたことを具体的に書いてください。

良かった点：

改善すべき点：

(3) 自分以外の発表から学んだことを書きましょう。

レポートを書こう
ダウンロード教材（レポート作成フォーマット）を使用してください。

第5章 クリティカルシンキング（批判的思考）

この章で 学ぶこと	構成：要約を踏まえて、自分の主張や論点を整合性をもって示す
	内容：記事の要約ができ、それに対する批判的意見が述べられ、根拠の質と 量が妥当である
	デリバリー：聴き手の理解を確認しながら、話す速さ、間の取り方を調整す る

ウォーミングアップ

タスク 5-1
この物語はなに？

タスク 5-2
論理の間違い探し

タスク 5-3
メリット・デメリット分析

基礎知識 16
主張と根拠

基礎知識 17
裏付けの探し方

タスク 5-4
情報分析 A：データ分析と解釈

コアワーク

**1. プレゼンテーションを
検討しよう**
基礎知識 18
クリティカルシンキングとは？
基礎知識 19
要約の方法
タスク 5-5
情報分析 B：要約と意見形成
タスク 5-6
記事を探して、自分の主張を固め
よう！
基本的構成パターン
基礎知識 20
耳で聴いてわかる言葉

**2. プレゼンテーションを
作ろう**
スピーチ例

3. デリバリー
基礎知識 21
聴き手に意識を向けよう
タスク 5-7
聴き手のうなずきに合わせて話す
練習

発表

リフレクション

評価ルーブリック
（自己＆聴き手）

1. 発表前
(1)準備チェック
(2)今回の目標

2. 発表後
(1)ルーブリックの記入
(2)クラスメイトからのフィードバックを読んで
(3)自分以外の発表から学んだこと

情報を批判的に検討する、論点を証明する複数の根拠を提示する

一般に子どもの頃に知ったおとぎ話やマンガなどを今、読み返すといろいろな批判ができます。「めでたし、めでたし」で終わった話もよく考えると、疑問に思うポイントが出てきませんか。この章では、ちょっと疑問に思うこと、不思議に思うことを出発点にしてクリティカルシンキング（批判的思考）を学びます。当たり前と信じていることを多角的に検討することで、これまで気がつかなかったことが浮き彫りになっていきます。それぞれのタスクを通じて、クリティカルシンキングを身につけていきましょう。

＜ウォーミングアップ＞

この物語はなに？（個人）＊

（1）次の①、②はある物語を読んだ人の感想です。なんという物語だと思いますか。

①

　　A:主人公の女の子は初対面の7人のおじさんと一緒に暮らせるなんて、勇気があるというか、鈍感というか、私にはまねできません。

　　B:知らない人からもらった食べ物を食べてはいけないって親に教わらなかったのだろうか。

　　C:死んでいる女性にキスができる男の人っているのかな。もし、女性が美しくなくても王子さまは彼女にキスをするのでしょうか。

　　D:雪のように白い肌、血のように赤い唇が美人のように描かれている話って、人種差別にならないのかな？

　　物語名（　　　　　　　　　　　　　　　　　）

②

　　E:このお父さんは許せない。自分の娘が後妻にいじめられているのを知っているのに、止めようとしない。僕なら、こんな妻とはすぐに離婚するよ。

　　F:この国の王子って、女性を美しさだけでしか考えていない。性格は関係ないのでしょうか。

　　G:ガラスの靴のサイズで女性を探すって、彼女の足は非常に小さかったのかなあ？子どもが先に靴を履いたら、子どもと結婚するというのだろうか。

　　H:ガラスの靴に合わせるために、かかとを切断したり、つま先をきるお姉さん

たちはどうかしてる。結婚した後、歩けなくなることを考えなかったのかな。

物語名（　　　　　　　　　　　　　　　　　　　　　）

（2）話し合ってみよう！（個人／グループ）＊

　　タスク5-1を参考に、知っている話をいろいろな視点から考えてみましょう。

① 　自分のよく知っているおとぎ話、マンガ、ドラマ、小説、アニメなどを一つ選んで友
　　達に話してみましょう。

② 　その話を聴いたら、疑問に思うこと、不思議に思うことをできるだけたくさんリスト
　　アップしてみましょう。

論理の間違い探し（個人／グループ）＊

　次の①〜⑩の文章についてどこかおかしい点はありませんか。疑問に思うこと、論理が
かみ合わないところ、情報が不充分だと思われる点を考えてみましょう。

① 　日本人なら日本語が上手に話せる。

② 　スポーツは身体に良い。

③ 　日本人は自己主張が弱い。

④ 　同性婚は子どもを作ることはできないから、認められない。

⑤ 　男女別姓だと家族の絆が失われるので、認めるべきではない。

⑥ 　見た目がいいと就職活動などで有利だから、気になるなら美容整形手術をするべき
　　だ。

⑦ 　ITに慣れることができるから、小学生のときからスマホを持たせた方がいい。

⑧ 　良い大学に行けば、将来が安泰だから、できるだけ偏差値の高い大学に行くべきだ。

⑨ 　ウイルスは飛沫によって感染するから、マスクをつければ安全だ。

⑩ 　国家予算では、収入を超えた支出をしてはいけない。家計と同じで、収入以上の金
　　額を使えば、赤字になり借金が増えるからだ。

　いろいろな疑問や反論ポイントを見つけられましたか。こうした視点は相手の言ってい
ることが真実なのか、論理的なのか、見極めるために必要なものです。また、世の中のい
ろいろなこと全てが白黒はっきりと結論をつけられるわけではありません。多様な解釈が
可能です。

メリット・デメリット分析（個人/グループ）＊

　コインの裏と表があるように、1つの事柄にはメリットとデメリットがあります。自分の意見を決める時に、メリットとデメリットを分析してみるといいでしょう。次の意見①〜⑧の下線について、例のようにメリットとデメリットを分析してみましょう。

　　　　例）<u>テレビを持つ</u>必要性はない。

メリット	デメリット
・1人の時、さびしくない ・NHK 以外の番組を無料でみられる ・テレビ画面を使うゲームができる	・時間を浪費する ・NHK 受信料を払わなければならない ・部屋のスペースがとられる

① <u>大学に進学する</u>ことは、人生のチャンスを広げる。
② <u>宇宙開発</u>はやめたほうがいい。
③ <u>大学在学中に留学</u>した方がいい。
④ 買い物は現金でなく<u>電子決済</u>をすべきだ。
⑤ 人に連絡する時、<u>電話を使う</u>必要はない。
⑥ <u>高校も義務教育</u>にするべきだ。
⑦ <u>AI</u>は人類を幸せにする。
⑧ <u>ペットショップで動物</u>を売るべきではない。

 主張と根拠

　1つの物事を複数の立場から見ることを「複眼的に考える」といいます。タスク5-3の8つの文は事実ではなく、意見を主張するものです。しかし、自分が良いと思う主張はあくまで主観的なもので、他の人も納得するとは限りません。したがって、いろいろな角度から根拠を検討して、意見を客観的にする必要があります。メリット・デメリット分析は複眼的に物事を検討する1つの方法です。

　たとえば、あなたは今、高校生でとても犬が飼いたいとしましょう。「犬、飼いたい！」と家族に自分の主張だけを伝えても、「世話が大変だから、だめよ」と言われるかもしれません。反対する家族を説得するために、あなたは「犬を飼うには確かに〜は大変だけど、〜といういい面もあるよ」「私が飼いたい犬の種類は〜で、これは他の種類の犬より、身体が丈夫なんだって。しかも、来年は私も大学生になるから、時間に余裕ができると思うの。

だから、散歩なんかの世話をする時間が今よりもできるよ」と犬が欲しい理由や、飼うことでのメリット、相手が反対する理由への反論などで多角的に説得を試みますよね。相手に納得してもらうためには、自分の主張だけでは弱いです。複眼的に考えることは相手の反論も予測し、相手が納得しそうな根拠を探す一歩になります。相手が納得すれば、「飼ってもいいよ」となる可能性は高くなるでしょう。

　アカデミックなプレゼンテーションでは、まず、自分の意見を決めてから、メリットとデメリットを出してみて、それを支える具体的な事実、データなどの裏づけを探していくのも１つの方法です。

裏付けの探し方

　あなたの主張が「テレビを持つ必要性はない（意見）＋　なぜなら、私を含めて大学生はテレビを見なくなっている（根拠)」だとします。

　ただ、この根拠はあくまでもあなただけの経験に基づくものです。あなた以外の人が納得するために裏付けが必要です。では、どう調べたらいいでしょうか。こんなとき、Internetで、キーワードをいれて検索すると、様々な調査結果や報告書が見つかります。

①　「私を含めて大学生はテレビを見なくなっている」のキーワードを考える
　　例）「大学生、テレビ視聴時間」,「大学生、　余暇の過ごし方」
②　キーワードをもとに、検索する
③　検索結果の中から信頼できるもの（書籍、新聞、政府刊行物、政府、通信社、国際機関（UN 〜）などが発信しているインターネット上のデータ）を選ぶ
　　例）キーワード「大学生・テレビ・視聴時間」
　　　　→検索結果　A: 主なメディアの利用時間と行為者率 - 総務省のサイト
　　　　　　　　　　B: 大学生たちと考える "テレビ" の未来 - NHKのサイト
　　　　　　　　　　C: 大学生はテレビをみない？ー現代若者のテレビ事情（個人のブログ）
　AとBは公的機関が発表しています。しかし、Cは個人のブログです。ですから、A、Bの方が信頼度が高いものと判断できます。

タスク 5-4 情報分析A：データ分析と解釈（個人/グループ）＊

次の1〜4の資料で、それぞれに示されている資料から、3つの作業をしましょう。

① データから読み取れることは何でしたか。（個人）

② あなたはどのように解釈しましたか。（個人）

③ ①と②ができたら、データから読み取ったことと解釈したことを共有しましょう。
（グループ）

・結論は一つに絞る必要はありません。どのような解釈が可能か、多くの人が納得
しやすい解釈はどのようなものでしょうか。

1.

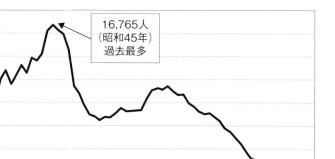

【交通事故死者数の推移】

https://www.mlit.go.jp/road/road/traffic/sesaku/pdf/2-2-1.pdf　国土交通省

①

②

2. 【状態別交通事故死者数】　　　　　　　　【人口10万人あたりの年代別死傷事故件数(令和元年)】

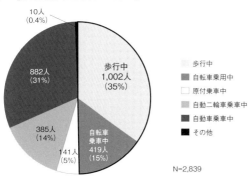

- 歩行中
- 自転車乗用中
- 原付乗車中
- 自動二輪車乗車中
- 自動車乗車中
- その他

N=2,839

出典）警察庁交通局「令和2年における交通死亡事故の特徴等について」
をもとに作成

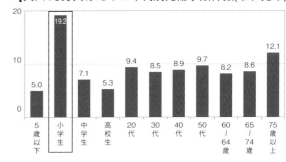

出典）交通事故データ：交通事故データ（IARDA:令和元年データ）
※全道路における幅員5.5m未満の人対車両事故を集計
※年代は、2当事者の職業（小学生、中学生、高校生）および年齢
（小学生、中学生、高校生以外）を集計
小学生、中学生、高校生の人口：文部科学統計要覧（令和2年版）
小学生、中学生、高校生以外の人口：総務省統計局HPの統計データ
（人口推計）

①

②

3.

　　　　【保有数量（100世帯あたり）】　　　　【広告費のうごき】

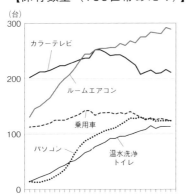

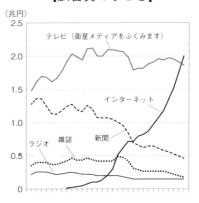

【日本の新聞の発行部数】（単位　万部）

	1980	1990	2000	2010	2019	2020
一般紙	4,094	4,606	4,740	4,491	3,488	3,245
スポーツ紙	545	585	631	442	293	264
総数	4,639	5,191	5,371	4,932	3,781	3,509
1世帯あたり（部）	1.29	1.26	1.13	0.92	0.66	0.61
紙面にしめる 広告の割合（%）	43.2	44.0	40.1	33.5	31.0	…

日本新聞協会の資料から作成しました。新聞の発行部数は各年10月時点です。

出典：「日本のすがた2021（日本国勢図会ジュニア版）」

4.

【労働時間（年間、全産業）とパートタイム比率のうごき】

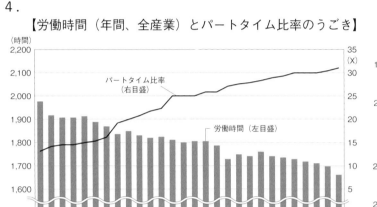

【雇用者の内訳】

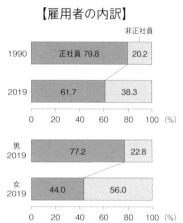

出典：「日本のすがた2021（日本国勢図会ジュニア版）」

①

②

　表やグラフから、どんなことが読み取れましたか。人によって、どの部分に焦点を当てるか、違います。たとえば、3.の3つのデータを見て、エアコンの数が増加していることに注目する人もいれば、テレビの数が減少していることに注目する人もいます。そして、なぜそうなったのかと疑問が出てきませんか。「地球温暖化で年々温度があがって、エアコンが必要となってきたのか」「IT機器の普及とともに、ネットを利用する人が増え、テレビを

必要とする人が減ってきたのか」など、自分がすでに持っている知識と結びつけ、推測することができます。

　このように複眼的視点から物事を考えて、自分なりの推論や意見を作っていきましょう。

＜コアワーク＞

クリティカルシンキングとは？

　「クリティカルシンキング」とは日本語で言うなら、「批判的思考」です。「批判」というと何かに対して「文句」を言うイメージを持つ人もいるかもしれません。しかし、ここで言う「批判」というのは、ある出来事や人の意見に対し「こういう例外もあるよ」「いや、その考えは、こういう点が矛盾しているんじゃないの」と自分の意見を言うことです。それによって思考が深まり、より洗練されたあなた自身の意見ができるのです。

　ここでみなさんの発想と複眼的思考が必要になります。社会生活では、自分で問題点を見つけ、それを論理的に考え、自分なりの答えを見つけていくことは重要です。

　クリティカルシンキングでは絶対的な正しさがあるとは考えず、様々な角度から検討し、そこから論理を組み立てていく創造力、発想力を重要視しています。それはまた、状況に合わせた最適解を導くための考え方です。唯一の絶対的な正解を目指す発想とは異なります。ですから、日常生活で「当たり前」と考えられることや、専門家が当然視していることに疑問を持つことなどが出発点になります。おとぎ話も新聞の記事も鵜呑みにせず、新しい角度から考えてみましょう。

　地動説を唱えたコペルニクス、非暴力での人種差別闘争を提唱したキング牧師、女性のファッションにパンツを取り入れたココ・シャネルなど人類の発展はそうしたクリティカルシンカーの貢献の歴史でもあります。2006年にノーベル平和賞を受賞したムハマド・ユヌスは富裕層ではなく、貧困層の生活を向上させるためのグラミン銀行を創設しました。このプロジェクトは40ヶ国以上で応用され、社会変革の一助になっています。

　日本では幕末に身分に関係ない軍隊を組織した高杉晋作、女性の地位が低く女性の参政権がない明治・大正時代に女性の地位向上につとめた平塚らいてうなどがいます。平塚らいてうは、高等女学校の時、良妻賢母主義の教育に異を唱えて、修身（道徳）の授業のボイコットをしました。彼・彼女らもまたその当時の「当たり前」に対するクリティカルシンカーでした。

今回の発表では新聞、雑誌の記事などに対して批判的思考で自分の意見を主張します。新聞や雑誌などの記事を読み、そこで書いてあったことや考えを鵜呑みにするのではなく、様々な角度から検討し、その記事に欠けている視点、論理的な問題点などを見つけ出しましょう。そして、あなたの意見を作っていきましょう。記事から問題点を見つけ、別の見解を論理的に示すことがポイントです。

基礎知識 19　要約の方法

　ここでは、筆者の意見や考え方が入っている新聞や雑誌の記事の内容を簡潔に要約する方法を紹介します。

1　選んだ記事は何でしょうか。記事が書かれているということは誰かが書いたということです。そこには著作権が発生するので、出典を明示することは論文、レポートと同様にプレゼンテーションでも配慮するマナーです。ただし、口頭の場合は、論文ほど細かいルールはありません。自分の選んだ記事のタイトルを次のように紹介するといいでしょう。
例）
・新聞：20XX 年 5 月 21 日の毎朝新聞に「（見出し）」という記事がありました。
　　　　20XX 年 8 月 8 日の毎朝新聞に池上涼介特派員が「フィリピンの感染対策」についての記事を書いていました。

・雑誌：今年の 3 月の（雑誌名）に「（見出し）」という記事がありました。
　　　　（著者）さんは 20XX 年 2 月に「天皇制度と結婚」についての記事を掲載しています。

2　実際の要約については下記の問いに答えるつもりで考えるといいでしょう。
　①　この記事のテーマは何ですか。全体をまとめるキーワードで出しましょう。
　　例）ヤングケアラー
　②　そのテーマに関して筆者はどのように説明していますか。
　　（背景的事情、現状、用語の定義など）
　③　筆者の主張をまとめて 1 ～ 2 行で書いてみましょう。
　④　筆者の主張の根拠を探しましょう。
　＊記事の要約は 1 分以内で話せるようにしましょう。

1. プレゼンテーションを検討しよう

 情報分析B：要約と意見形成（個人／グループ）＊

次はある雑誌の記事です。

（1）この記事の主張、根拠を読み取り、要約を作りましょう。

（2）それに対する自分の意見、主張や根拠を出しましょう。

『週刊　未来ビジネス』（2022年2月14日号）より

近年スマホの普及率も増え、家にPCはなくても、スマホやタブレットなどの端末はあるという家庭は多い。総務省の「平成27年通信利用動向調査」によると、平成27年末の一般家庭（世帯）における「平成27年通信利用動向調査」によると、スマートフォンの一般家庭（世帯）における普及率は72・0％、タブレット端末の普及率は33・3％だそうだ。一方、パソコンの普及率は平成21年末に87・2％とピークを迎えた後、減少と増加を繰り返し、平成27年末の普及率は76・8％となっている。

小学校でのタブレット導入も始まり、子どものころからインターネットに触れる機会が増えている。大人以上にタブレットやスマホの操作が上手な子どもも少なくない。では、そのような子どもがPCでも操作が上手かというとそうではない。マウスやキーボードの使い方がわからない、PCに触れるのは学校が初めてだという子供は多い。文部科学省のデータによると、地域差はあるものの平均1台を5〜6人で使用している状況だ。2021年度から中学校でプログラミング教育が必修化されているが、タブレットのみで対応できるのだろうか。

PCはタブレットと異なり、処理性能やメモリ容量などが優れている場合が多く、機種によっては画像編集や動画編集といった重い作業もこなせる。また、文章入力を行うにもスムーズにできる。私

などは長い文章の資料を作成しなければならない時や編集したりする時などは、PCの方がはるかに効率がいい。にもかかわらず、ある調査ではノートパソコンもデスクトップも持たない者の割合は、日本が45・3％、アメリカが11・4％、イギリスが9・2％、韓国が19・9％。また、日本では、10代のおよそ半分が自分のパソコンを持たず、3割は家族との共用もしておらず、先進国の中では、若者がパソコンに触れる頻度が低い。日本の若者のパソコンスキルは、国際的にみてどれ程の水準にあるのか。舞田敏彦氏（武蔵野大学）が経済協力開発機構（OECD）の国際的な学習到達度調査「PISA2012」をもとに検証したところ、15歳の生徒のうち、表計算ソフトでグラフをつくれる人、パワーポイントなどでプレゼン資料をつくれる人、日本はそれぞれ3割程度を他国と比べると、最低レベルだったそうだ。しかし、ビジネスは受動的では成り立たない。情報を受動的に収集したりするだけならスマホやタブレットでもできる。価値を創造し形にして売っていくにはコンピュータを使いこなすことが要求される。たとえば、アプリケーションやゲームのソフトを作るプログラミングにはPCが必要だ。ビジネスで求められることやプログラミング教育の観点からいうならば、タブレット導入ではなく、PC導入を優先するべきだと思う。

（1）この記事の要約を簡潔に作ってみましょう。

①テーマ	
②テーマに関する説明	
③筆者の主張	
④筆者の主張の根拠	

（2）次に、筆者の主張に対するあなたの意見と、そう考えた根拠を教えてください。

私の意見	
私の意見の根拠	

タスク 5-6　記事を探して、自分の主張を固めよう！（個人/グループ）＊

　ここでは発表の本論の土台を作ります。まず、<u>筆者の意見や考え方が入っている新聞や雑誌の記事</u>を選びます。タスク5-5を参考にして、（1）「記事の要約」、（2）「私の意見」を作りましょう。すでに、意見と根拠の練習は充分にしてきましたから、自信をもって自分の主張をつくってください。

（1）その記事の要約を簡潔に作ってみましょう。

①テーマ	
②テーマに関する説明	
③筆者の主張	
④筆者の主張の根拠	

（2）次に、筆者の主張に対するあなたの意見と、そう考えた根拠を教えてください。

私の意見	
私の意見の根拠	

基本的構成パターン

　今回の発表では、次の表のように、本論の部分が①記事の要約と②私の主張の二段構成になっています。

　今回の発表は<u>6分程度</u>が目安です。時間配分としては序論（1分程度）、本論（4分程度）、結論（1分程度）のイメージで準備してみましょう。

構成	解説
序論	・聴き手にテーマへの関心を持ってもらう
本論	①記事の要約 ・出典 ・テーマとテーマに関する説明 ・筆者の主張 ・筆者の根拠
	②自分の主張 ・記事の主張に対する自分の意見 ・自分の意見の根拠（1つから3つ程度）
結論	①と②のポイントを簡潔に伝える（まとめ） 聴き手への呼びかけ

情報を批判的に検討する、論点を証明する複数の根拠を提示する

耳で聴いてわかる言葉

初めてのアルバイトで仕事の説明を受ける時、スマホや賃貸アパートの約款の説明を聞いている時など、相手の言っていることがわからないと思った経験があるでしょう。

基礎知識2-3「三部構成」でも触れたように、「話す」というのは基本的に音声を使い、聴き手は音声だけを頼りに理解していくことになります。聴き手にとってわかりやすい構成の他にも、聴き手の理解を助ける言葉選びにも注意しましょう。特に、聴衆分析をした時、聴き手にとってなじみが薄いであろう言葉、初めて聴くんじゃないかなという言葉、内容が複雑で難しいと思われる話題では、話し手は慎重に言葉を選び、耳で聴いてわかりやすい表現（耳用の言葉）に言い換えたり、補足説明をする配慮が必要です。

簡単な例として「約５０人（やくごじゅうにん）」は、字を見ればわかりますが、耳で聴いた時に「１５２（ひゃくごじゅうに）」に聴こえる可能性があり、３倍もの誤解が生じてしまいます。これを耳用の言葉にするならば、「およそ５０名（ごじゅうめい）」と伝えれば誤解が生じません。内容自体が難しい時は、発表前に必ず友人やクラスメイトなどに一旦話してみて、「要するに、こういうこと」と自分の言葉に置き換える機会を作りましょう。以下に、気をつけたい言葉と対策をまとめました。

専門用語、同音異義語、聞き間違いやすい言葉、略語 ➡	・一回聞いて理解できる耳用の言葉にする ・補足説明を入れる
固有名詞、キーワード、引用文 ➡	・ゆっくり、はっきりと発音する
その他 ➡	・要点から詳細な説明の順で話す ・一文をなるべく短くする

いざ自分が伝える側になると、とかく私たちは耳用の言葉を忘れ、発表時に聴き手をおいてけぼりにしてしまいがちです。発表の内容が決まったら、耳用の言葉になっているか確認しましょう！　わかりやすい話ができる人とは、要するに、難解な話を聴き手に合わせて耳用の言葉に変換できる人なのです。

2. プレゼンテーションを作ろう

・序論・本論・結論の各部分の論理の流れを意識して読んでみましょう。

・今回のスピーチは要約なども含むので6分程度を目安に語りましょう。

構成	内容	項目
序論	スマホやタブレット、パソコンっていろいろなことができて便利ですよね。スマホを持っていない人はいますか。（聴き手の反応をみて…例「みなさん持っていますね」）。 　それでは中学校を卒業するまでにスマホなどの携帯電話を持っていた人はいますか。（反応を見て…例「ほとんどの人は持っていたようですね」）。 　では、中学校を卒業するまでに家にパソコンがあった人は手をあげてください。（反応を見て…例「スマホよりも人数が少ないですね」）。	ラポール形成
	スマホ、タブレット、パソコンは、それらの機能の違いを考えて、学校ではタブレットではなくパソコンを使うべきだという意見があります。今回はこの点についてお話ししたいと思います。	本論へのつなぎ
本論	『週刊未来ビジネス』という雑誌の2022年2月14日号に、プログラミング教育の観点からすると、タブレットではなくPCの導入を優先するべきだという記事がありました。 　小学校でのタブレット導入も始まって、インターネットに触れる機会が増え、大人以上にスマホやタブレットの操作が上手な子どもも多いです。 　パソコンは処理能力が高くメモリ容量も大きいので、タブレットにはできない作業も効率よく進めることができると筆者は言っています。けれども、日本は先進各国に比べると個人単位のパソコンの普及率が低いです。また、15歳で表計算ソフトのグラフを作ったりパワーポイントのプレゼン資料を作ることができる人は3割で、先進国の中で最低だという状況は問題だと考えています。 　今日のビジネスで重視されるのは価値を創造し売ることです。そのためにはプログラミング教育が必要で、プログラミングができるのはコンピュータだけです。だから中学校で必修のプログラミング教育がタブレット頼みという状態で大丈夫か、もっとパソコンを導入すべきだというのがこの記事の筆者の主張です。	記事の要約 ・出典 ・テーマとテーマの説明 ・筆者の主張 ・筆者の根拠
	私は学校にもっと多くのパソコンを導入するべきだという筆者の意見には賛成です。ただ、それには予算についても考えないといけないと私は思いました。 　筆者の言うように、売れる新しいゲームやアプリを作ることがビジネスの種になります。タブレットとスマホでできることはせいぜいYouTuberとして成功することじゃないかと思いますが、それで成功するのは限られた人になるでしょう。コンピュータを使いこなせる方が、プログラマー、システム・エンジニアなど様々な仕事があり、年収も国内で700万円以上もらえるようです。 　しかし、予算については問題があります。若い世代の個人的なパソコンの保有率が低いですから、学校でパソコンをいつでも自由に使えるだけの台数を揃えておかなければならないと思います。タブレットは2万円以下でも買えますが、プログラミングができるパソコンは安くても10万円程度かかります。子どものお年玉で簡単に買える金額ではないので、学校にパソコンが必要なのです。しかし、パソコン購入の予算が確保できるのかという点については筆者は語っていません。	記事に対する自分の意見と根拠 ・要約に対しての自分の意見 ・自分の意見の根拠（1つから3つ程度） A3要旨の例（ボード）を入れる
結論	私も記事の筆者と同じように、今後の日本の経済発展を考えると、プログラミング教育が大切で、そのためには学校にはタブレットよりもパソコンを整備すべきだと思います。その予算は税金からになりますがそれは将来への投資となります。「教育は国家100年の大計」という言葉があるように、IT社会で活躍できる人材、稼げる人を作れば、将来の税金をたくさん払える人も増えると思います。みなさんはどう思いますか。	まとめ／呼びかけ

　情報を批判的に検討する、論点を証明する複数の根拠を提示する

3. デリバリー

聴き手に意識を向けよう

　話している時に自分の思考の方に意識が向いてしまうと、聴き手との対話への意識を忘れてしまいます。そうなると早口になったり、一方通行の話し方になったりしてしまいます。自分の意見を述べる時は聴き手と対話しているつもりで、聴き手に目線を配り聴き手の理解を確認しながら話しましょう。聴き手のうなずきなどから、聴き手の理解のようすが把握できます。

　そして意味のかたまりを意識して話しましょう。文と文の合間にはゆっくり呼吸をして、自分が落ち着いて楽に話せるペースを維持しましょう。

　話し手の感情は聴き手に伝染します。話し手が緊張していると聴き手も緊張して話に集中することができません。聴き手が安心して発表に集中し、内容を理解できるように、話し手自身が落ち着いて話すことが重要です。

　特に段落末で聴き手の表情や態度を見て聴き手の理解度を確認しましょう。聴き手の理解度に応じて、言葉の言い換えや補足説明を加えてください。

聴き手のうなずきに合わせて話す練習（グループ）＊

手順

① 　グループ（3〜4人）になって向き合って座ります。1人が話し手になり、他のメンバーは聴き手になります。

② 　話し手は発表の内容を意味のかたまりごとに話します。その時、話し手は異なる聴き手に目線を順番に配り、聴き手のうなずきに合わせて話しましょう。聴き手のうなずきに合わせて話しましょう。

③ 　聴き手は自分の理解ペースでうなずきながら話を聴きましょう。話し手のペースが速いと思ったら「ブー」と言って、話し手が話す速さを調整するように促します。

④ 　話し手が2分間話したら、次の人に交代しましょう。

第5章 クリティカルシンキング（批判的思考）

第5章ルーブリック：クリティカルシンキング（批判的思考）

評価観点＼学習到達度	4 基準以上	3 基準	2 少しできている	1 できていない
聴衆分析	聴衆の知識や経験を意識して、興味関心を引きつける情報や表現の選択ができている。	聴衆の知識や経験を意識して、情報や表現の選択ができている。	聴衆分析が不充分である。	聴衆分析がされていない。
構　成	三部構成ができていて、論理的一貫性がある。 要約と意見の配分が適切である。	三部構成（序論・本論・結論）ができていて、論理的一貫性がある。	三部構成ができているが、論理的一貫性に欠ける。	三部構成ができておらず、論理的一貫性にも欠ける。
内　容	記事の要約ができている。 記事の内容に対する批判的意見とその根拠が多角的視点から検討されている。	記事の要約ができている。 記事の内容に対する批判的意見が述べられ、根拠の質と量が妥当である。	要約の一部に不備がある。 または、 記事の内容に対する意見はあるが、根拠の質と量が妥当ではない。	要約ができておらず、記事の内容に対する意見が示されていない。
デリバリー	聴き手の理解を確認しながら、話す速さ、間の取り方を調整している。 姿勢・目線・声に安定感がある。	聴き手の理解を確認しながら、話す速さ、間の取り方を調整している。	目線は聴き手に向いているが、話す速さや間の取り方を調整していない。	目線が聴き手に向いておらず、話す速さや間の取り方を調整していない。
ラポール形成	聴き手に意識を向けていて、関係作りができている。 オープニングやクロージングの工夫ができている。 聴き手を巻き込んでいる。	聴き手に意識を向けていて、関係作りができている。 オープニングやクロージングの工夫ができている。	聴き手との関係作りが不充分である。	聴き手との関係作りができていない。

視聴覚情報を使った場合：

	4	3	2	1
視聴覚情報	視聴覚情報が独創的で、効果的に使われている。	視聴覚情報の内容と提示方法が適切である。	視聴覚情報を使っているが、適切ではない。	視聴覚情報を使っていない。

1. 発表前

⑴ あなたの準備をチェックしましょう。今、どのレベルで発表の準備ができているか、ルーブリックに ✓マーク を入れましょう。

⑵ 今回の発表で、最もがんばりたいところは何でしょうか？
（　　　　　　　　　　　　　　　　　　　　　　　　　　　　　　　　　　　　）

2. 発表後：ふりかえり

⑴ 自分の発表の録画・録音を視聴して、ルーブリックに自己評価として〇マークを付けてください。

⑵ ⑴の動画とクラスメイトからのフィードバックシートを確認して、考えたことを具体的に書いてください。

良かった点：

改善すべき点：

改善方法を具体的に書きましょう：

⑶ 自分以外の発表から学んだことを書きましょう。

レポートを書こう
ダウンロード教材（レポート作成フォーマット）を使用してください。

第 6 章 論理的に意見を述べる

この章で 学ぶこと	構成：三部構成ができていて、論理的一貫性がある
	内容：テーマの説明がある 自分の意見が述べられ、根拠の質と量が妥当である
	デリバリー：聴き手の理解を確認しながら、話す速さ、間の取り方を調整する
	聴き方：問題意識をもって発表を聴き、理解を深めるための質問ができる

ウォーミングアップ

タスク 6-1
アイディアと根拠を出す

基礎知識 22
根拠には質がある

基礎知識 23
根拠はいくつ必要か

タスク 6-2
意見を考えよう

タスク 6-3
多角的な視点で根拠を考える

コアワーク

1．プレゼンテーションを検討しよう
発表例
タスク 6-4
視点の分析
基本的構成パターン

2．プレゼンテーションを作ろう
基礎知識 24
ビジュアルエイド

3．デリバリー
基礎知識 25
聴き手の反応と発表者の成長
タスク 6-5
質問力を鍛える
タスク 6-6
発表内容について聴き手としての意見とその根拠を述べる

発表

リフレクション

ルーブリック

1．発表前
(1)準備チェック
(2)今回の目標

2．発表後
(1)ルーブリックの記入
(2)クラスメイトからのフィードバックを読んで
(3)自分以外の発表から学んだこと

3．聴き手として

複眼的視座で論点を証明する根拠と情報源を提示する

前章では１つの物事をいろいろな角度から検討することで、物事の新しい側面が見えてくるクリティカル・シンキングを学びました。そこで鍛えたあなた自身の発想力を活かして、身の回りのことから、社会、経済、科学など、様々な話題について自分自身の意見とその根拠を述べることを学びます。今回は意見を支える根拠の種類や質についてさらに掘り下げて学んでいきます。そして、聴き手の関心を広げ、新しい気づきをもたらす発表を目指しましょう。

＜ウォーミングアップ＞

アイディアと根拠を出す（個人／グループ）＊

ステップ1 アイディアを出す

　ランダムに当たった話題について、それぞれの意見を即興でどんどん言ってみる練習です。まずは、深く考えず、直観で思いついたことを言ってみましょう。

1. 最近、話題になっているニュース

　時事問題、世界情勢、経済、社会、科学、音楽、メディア、芸能など、世間で話題にのぼっていること、みなさんが気になっていることを出し合ってみましょう。

・個人作業の場合：ノートに思いつくことをたくさん書き出します。

・グループ作業の場合：

　　①　カード１枚に１件の出来事を書きます。各自３枚以上書きましょう。

　　②　２～４人グループになって、それぞれに書いたカードを見せあい分類する。

2. 話題について一言！

・個人作業の場合：上の１で書き出したことについて、あなた自身の意見を、述べてみましょう。

・グループ作業の場合：上の１で書いたカード（同じ話題は抜いておく）を集めて、順番にカードを引き、それについて自分の意見を一言で述べます（思いつきでいいです）。または、画用紙にみんなが出した話題をランダムに書きだします。画用紙の真ん中にペンを置き、それを回して、ペン先が示した話

題について一言意見を述べましょう。

ステップ2 根拠を出す

1．【ステップ1】のノートやカードに書いた話題の中から自分がピンときたものを1つ選んでください。そして、選んだ話題についての自分の意見、主張を述べましょう。

2．意見が一つ決まったら、それを指示する根拠を何も見ないで10個以上考えてください。2〜3人で協力して根拠を出し合ってもいいでしょう。

根拠には質がある

論理的に主張するためには、意見とその根拠が必要です。しかし、どんな根拠でもいいわけではありません。少し考えてみましょう。

たとえば、「明日は雨がたくさん降るよ」と誰かが突然言っても、それを信じる人は少ないはずです。では、以下の①〜④の根拠の中であなたはどれを信じますか。

---

① 猫が顔を洗っている。

② 最近雨が降っていない。

③ 九州にいま、台風が来ているから、明日の朝には関東に近づくだろう。

④ 天気予報で、明日は雨がたくさん降ると言っていた。

---

③④を聞いた人の方が①②より「明日は雨がたくさん降る」と信じる人は多いと思います。つまり、根拠には強い根拠と、弱い根拠といった質の違いがあるということです。この根拠の「質」によって、その意見や主張に対する納得の度合いが変わります。では、どのような根拠がいいのでしょうか。③は日本の天気は西から東に移っていくという事実に基づいた根拠です。④は専門家がデータをもとに、天気を予測した結果が根拠です。このように、根拠とは信頼性のある裏付けのことです。研究・調査している人などは、自分で仮説を立て、データを集め、他と比較、分析、検討した上で、自説を述べます。一般の人は、③のように既存の事実や④のように専門家の意見や理論・データを利用することができます。その際、あまりにも古いデータや、筆者、著者や所属などが明記されていないなど、信頼性の低いものは避けましょう。5章の基礎知識17で述べましたが、信頼性の高いものとは、書籍、新聞、政府刊行物、政府、通信社、国際機関（UN〜）などが発信しているインターネット上のデータなどです。

ポイント！ ①大切なのは自分の意見

　専門家の意見・理論をそのまま利用して、あたかも自分が考えだした意見のように述べることは剽窃という間違った行為です。大事なのは「自分の意見」です。自分の意見をサポートする材料として、専門家が出している複数の意見や理論、データを自分の頭で分析し、「意見」と結びつけましょう。

ポイント！ ②意見と根拠の結びつき

　複数の根拠は、どれも意見をサポートするものでなければなりません。つまり、自分の意見をサポートしない根拠は不要です。ですから、それぞれの根拠が意見のどの部分をサポートするのかを考えましょう。

基礎知識23　根拠はいくつ必要か

　根拠は1つより複数ある方が説得力が増します。しかし、6分程度の発表ではたくさん根拠を言っても、聞いている人は覚えきれません。ですから、2〜3個ぐらい言えればいいでしょう。数を多く出せないので、できるだけ、複数の視点（下記参照）からの質の良い根拠を出すといいでしょう。

【視点のタイプ】

・現在の事実	・道徳的視点	・短期的／長期的視点
・歴史的事実	・一般常識からの視点	・心理的視点
・専門家の見解	・外国からの視点	・科学的視点
・統計的データ	・法的視点	・経済的視点
・社会的強者／弱者の視点	・ことわざ／格言から	・複数の文化からの視点
など		

　たとえば、「美容整形手術に反対」と言う意見に対して、異なる視点からの根拠を考えると以下のようになるでしょう。

　例）意見：美容整形手術に反対

視点のタイプ	根拠	裏付け
①心理的視点 （危険性の面からの視点）	失敗のリスク	年間の手術件数と失敗件数の割合
		失敗するとどうなるかの事例
	依存性	命の危険性を示す事例
②経済的視点	手術費用の負担が大きい	いろいろな手術の種類と費用
	追加費用の負担がある	手術後の状態を維持するには 定期的なメンテナンスが必要
③社会的視点 （ルッキズム）	外見よりも中身を重視するべきだと思う人が多い	価値観調査の結果
	外見の基準は時代、民族ごとに異なる	美人の歴史的変遷（纏足、眉の形、体型） 各民族の美人の基準（首長族など）

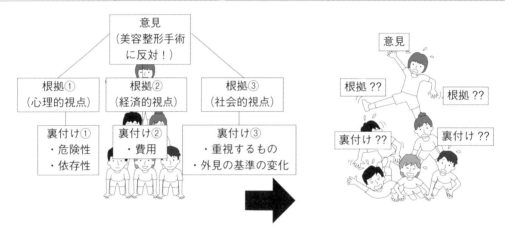

論理が破綻する！

 タスク 6-2　意見を考えよう（個人/グループ）＊

① 基礎知識 23 の例や自分で調べたことなどを検討して、「美容整形手術」についての
あなたの意見を考えてください。

② その意見を支える根拠を 3 つ程度、裏付けと共に出しましょう。

 タスク 6-3　多角的な視点で根拠を考える（個人/グループ）＊

① タスク 6-1 の【ステップ 2】の 2 で選んだものはどのような視点のタイプでしたか。

② それぞれ根拠の裏付けを探してください。

＜コアワーク＞

今回の発表では、社会に対してあなたの意見を説得力をもって訴える発表を目指します。
そのためには、今まで学んだ意見と根拠、多角的視座をいかして論理的な発表に挑戦しましょう。

1. プレゼンテーションを検討しよう

発表者の意見がどのような順番で構成されているかを意識しながら、次の発表例を読んでください。

【発表例】　★この発表は 2021 年のものです。

序論 ＊資料１提示	こんにちは。社会福祉学科１年の佐々木大樹です。今日は自分の体験から考えた「ヤングケアラ―」についてお話しようと思います。	挨拶・名のり
	「ヤングケアラー」という言葉を知っていますか。知っている人は手をあげてください。（聴き手の反応を見て…例「あまり、いませんね。実はかなり新しい言葉なんですよ。」などコメントする。）	ラポール形成
	「ヤング」は若いですね。「ケアラー」というのは世話をする人という意味で最近日本で紹介され始めた言葉です。	テーマの説明 ・定義
	「ヤングケアラー」というのは、大人の代わりに「病気や障害のある家族の世話を引き受けている子ども」だそうです。（ゆっくり、話す） 　イギリスでは 2014 年に「子どもと家族に関する法律」ができて、ヤングケアラーという言葉が広がって来ています。ヨーロッパの６ヶ国ではヤングケアラーの精神的サポートを中心とした取り組みが広がっています。	・背景事情 ・用語の定義
	日本では 2021 年４月にヤングケアラーについて初めての実態調査結果が出ました。まだまだ知られていない状況なのですが、資料１をご覧ください。これによると、中学２年生の 17 人に１人はヤングケアラ―で、クラスに１人か２人はいるということになりますね。	本論へのつなぎ
	実は私もヤングケアラーでした。昨年祖母が亡くなるまでは。同居していた祖母は私が小学校６年生ごろから寝込むようになりました。母は２つのパートを掛けもちしていたので、祖母の世話は私がすることになりました。	

```
資料１

【調査参加校におけるヤングケアラーの割合】
　中学校46.6%
　全日制高校　49.8%

【家族の中に自分が世話をしている人がいる割合】
　中学２年生　5.7%
　　　　ほぼ　17人に1人
```

本論 ＊資料２提示	「私が仕事している間、おばあちゃんのことはお願いね。」と母は言うのです。私も「家族なんだから手伝うのは当たり前」と思っていましたが、そんなに簡単な話ではありませんでした。 　昼間はおむつの交換、夜中２回のトイレの付き添い、お風呂の世話、老人食を準備して食べさせたりするなど、やることはたくさんあります。私は家で落ち着いて勉強する時間もなく、まして部活や塾に行くことも考えられませんでした。「おばあちゃんのために私の青春はなくなり、疲れ果てるだけ」と思いながらも、「家族なんだから」と思うと、母にも何も言えませんでした。 　授業中どうしても寝てしまったり、宿題が提出できなかったり、遅刻も多く、中学校の担任の先生たちは私を問題児扱いしていました。 　でも、家庭科の中村先生は違いました。老人食の作り方がわからなくて、中村先生に調理方法を教えてもらったんです。その時、中村先生が「あなたはヤングケアラーなのね。おばあちゃんも大事ね。でも、あなた自身も大切にすること、幸せになることを忘れないで。」と励ましてくれたんです。その後も進路相談やボランティアの方々を紹介してくれました。 　「ヤングケアラー」という言葉をもらったことで、私は自分の疲れや苦しみを先生に話すことができました。自分は「家族としての責任以上のことをしているのだ。」と思うと自分自身をほめてもいいような気持ちになったのです。なんていうか、自分の問題に正確な名前がついて安心したような気持ちです。 　資料２は全国の自治体を調査したものですが、このように、ヤングケアラーという概念を知らない人たちは多いのです。 　今日みなさんにお伝えしたいのは、今、「ヤングケアラー」の人たちには「家族が考える当たり前」は当たり前ではないと知ってもらいたい。そして、多くの人に「ヤングケアラー」の存在を知ってもらいたいということです。社会的支援を受けやすくなる環境を作る必要があるんです。 　まず、「親ガチャ」、「家族ガチャ」、「先生ガチャ」というように、与えられた環境だから仕方ないのではありません。全ての子どもが豊かで完璧な環境で育つわけではありません。「家族の中の助け合いは当たり前」という考えは、全ての責任は家族にあると思いこませます。その結果、家族の外にある社会的支援に目が向かなくなります。大学の「福祉政策論」の授業で、ヤングケアラーは家庭の経済事情、男女の賃金格差など、様々な問題と関連しているということを学びました。「ヤングケアラー」の問題は家族だけでは解決できないとわかれば、私のような当事者は家族以外の誰かに「助けて」ということができます。 　次に、子ども自身ではどうしようもないことについては、福祉や教育などのサポート体制が必要だと思いますが、それにはまず、「ヤングケアラー」の存在があることをみんなが知っていることが前提になります。哲学者ウィトゲンシュタインは「名詞があれば、人はそれに対応する何かを探そうとする。」と言っています。子どもと接する大人は「ヤングケアラー」という言葉を知ることで、子どもの話を聞いて問題に気づくことができます。そして、サポートすることが可能です。私の場合は幸運にも中村先生がいたので、福祉的なサポートを紹介してもらったり、大学までの進路相談もできました。	主張に至る背景事情 ①家族の当たり前 ②祖母の介護の様子 ③周囲の無理解 ④理解者の中村先生 全体的な主張 意見① 根拠① 意見② 根拠②
結論	（少し間をおいてから）祖母は去年亡くなり、私は帰宅時間を気にせず大学に通い、友人とも交流できるようになりました。祖母が亡くなって嬉しいというのではなく、私は今、自分の経験から大学で福祉について学び、ヤングケアラーを支援するような仕事ができるようになりたいと思っています。祖母の介護の日々は、本当に辛く大変でした。しかし、その経験があるからこそ、私の中ではっきりした人生についての目標が生まれたとも言えます。 　最後に、「ヤングケアラー」について、まず、みなさんが知ってください。そして、周囲の人にその存在と意味を伝えてください。そうすれば、多くの人々の理解と支援の輪が広がります。そして、ヤングケアラー自身も「家族の当たり前」に縛られず、声をあげやすくなります。	その後の話 主張の再提示

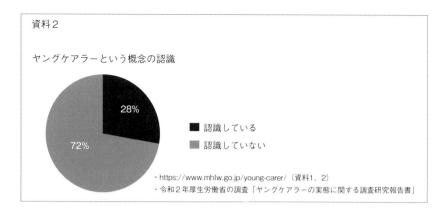

資料2

ヤングケアラーという概念の認識

- 認識している
- 認識していない

28%
72%

- https://www.mhlw.go.jp/young-carer/（資料1、2）
- 令和2年厚生労働省の調査「ヤングケアラーの実態に関する調査研究報告書」

タスク 6-4 視点の分析（個人／グループ）＊

　左のサンプルの発表の中にある根拠にはどのような視点が入っているでしょうか。【基礎知識23】の【視点のタイプ】を参考に視点を書き出してみましょう。

基本的構成パターン

　今回のスピーチの構成は以下のようになっています。みなさんも構成を意識した論理的な発表にチャレンジしましょう。6分程度を目安にじっくりと自分の主張を述べてください。

構成	項目	
序論	ラポール形成	
	テーマ	
	テーマの説明 （背景事情、現状、用語の定義など）	
	本論へのつなぎ	
本論	全体的な主張 （主張に至る背景的事情を含む）	
	【パターン1：意見が1つの場合】 自分の意見 　根拠①	【パターン2：意見が複数ある場合】 意見①＋根拠①
	根拠②	意見②＋根拠②
	根拠③	意見③＋根拠③
結論	主張の再提示／提案	

今回のポイントは：

・序論：テーマを述べテーマについて聴き手が知っておくべき基礎的な情報を提供します。必要に応じて、背景事情、現状、用語の定義をしてください。

・本論：テーマによっては、全体的な主張となぜその主張をしたいと思うようになったかを丁寧に語る必要もあります。また、本論の展開には以下の2つの方法から1つ選んでください。なお、主張には自分なりの意見や提案も含まれます。

　①　意見が1つの場合：意見を1つ言って、複数の根拠を示す

　②　意見が複数ある場合：意見＋根拠の組み合わせですすめていく

・結論：もう一度自分の主張や提案を簡潔に伝えます。必要に応じて現在の自分の気持ちや将来のビジョン、望ましい結果などを付け加えてもいいでしょう。

2. プレゼンテーションを作ろう

構成シートを作ろう。
ダウンロード教材（構成シート）を使用してください。

基礎知識 24 ビジュアルエイド（視覚補助資料）

　言葉だけで全てを伝えきることはできません。たとえば、「とても美しい景色でした。」と言ってもどんな景色か具体的にはわかりません。しかし、写真を添えることであなたが感じた「美しい」という意味が明確に伝わります。また、統計的な資料を読み上げても人の記憶には残りにくいです。しかし、表やグラフで数字を見ることで瞬時に意味が伝わります。このように視覚的な効果を使ってプレゼンテーションの質を高めるものをビジュアルエイド（visual aid）と言います。ビジュアルエイドの種類によって効果が違いますから、自分のプレゼンテーションの目的と内容にあわせて使いわけることが大切です。

【様々なビジュアルエイド】

・実物：実際に使っているものを見せる。

・写真：現実をリアルに伝えられる。実物を持ってこられない時には効果がある。風景、人物、言葉では説明しづらいものも写真でなら瞬時に伝えられる。

　＊携帯電話で手軽に写真が撮れるが、みんなに見せる時は大きさを考えること。また関係ない人の写真の個人情報保護に配慮すること。

・動画：動きや変化をリアルに伝えることができる。

- イラスト：写真ほどリアルではありませんが、注目させたいポイントに絞って説明したり、イメージや雰囲気を伝えたりするのに効果的である。現実的にありえないこともイラストでなら描くことができる。自分でイラストを描くことができなくても、今はインターネット上で無料素材集もでているので、そこから選んでもいい。
- フリップ（ボード）：タイトルや強調したい言葉や説明図などを書いたカードのことで、通常、B4以上のサイズが使われる。
- 表・グラフ：統計資料、経年変化など数字を比較する時に効果的である。
- フローチャート：思考プロセス、仕事の段取りなど順をおって説明する時に適している。

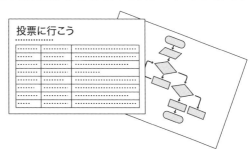

【提示方法】

　あなたの発想しだいで様々なビジュアルエイドを使うことができます。ただし、見せるものですから、聴衆の人数や聴衆との距離によってビジュアルエイドをどのように見せるかに配慮する必要があります。大きさ、見せるタイミングや時間などを考慮しましょう。パワーポイントのスライドにして大きく映像を映すこともできます。ただし、スライドを見て読み上げると主役はあなたではなく、ビジュアルエイドになってしまいます。プレゼンテーションでは、ビジュアルエイドはあくまでも補助であり、一番重要なのは発表内容とデリバリーであることを忘れないでください。

3. デリバリー

　デリバリーは第5章のデリバリーを参照してください。

4. 聴き方

基礎知識
25

聴き手の反応と発表者の成長

　これまではメッセージの伝え方の練習をしてきましたが、ここでは聴き手が問題意識をもって聴き、聴き手自身の理解を深めるための質問ができるよう、聴き方と聞き方（質問方法）について考えてみましょう。

　発表は話し手と聴き手の間で双方向に行われるものです。聴き手の温かい反応があると、話し手は自信をもって自分の意見や想いを表現することができます。また、自分の発表に対して質問をしてもらえると、聴き手が興味をもって自分の話を聴いてくれたことが分かり

ます。そして、自分とは異なる視点からの質問をされることで、自分では気づかなかった問題点に目を向けることができ、発表に足りなかった情報をさらに調べようという意欲が湧いてくるものです。

　つまり、聴き手の反応が発表のできばえや発表者の成長を大きく左右することになります。

 質問力を鍛える（個人／グループ）＊

　1つの文に対して、さらに詳しい情報を引き出すための質問を10個以上考えてください。

例）ヤングケアラーにはほとんど自由時間がありません。
　　・ヤングケアラーとは何ですか。
　　・どんな人がヤングケアラーに相当するのですか。
　　・ほとんどというのは、どのくらいですか。
　　・特に忙しい時間はどんな時ですか。
　　・なぜ、自由時間がなくなるのですか。

① 　AIは、私たちの生活を便利にしてくれます。
② 　日本の先生は忙しくて大変です。
③ 　沖縄の高齢者は幸せです。
④ 　昆虫食を広めるべきです。
⑤ 　牛肉を食べることは環境破壊につながります。
⑥ 　小中学校で夏休みの宿題を出すべきではありません。
⑦ 　校則で生徒を縛るのでなく生徒を自由にするべきです。
⑧ 　お客様は神様ではありません。
⑨ 　難民をもっと受け入れるべきです。
⑩ 　自然エネルギーをもっと活用したほうがいい。

 発表内容について聴き手としての意見とその根拠を述べる＊

　発表を聴いて、自分の意見とその根拠を述べましょう。今まで学んだクリティカルシンキングを活用してください。

〈メモ〉

＜リフレクション＞

第6章ルーブリック:論理的に意見を述べる

評価観点／学習到達度	4	3	2	1
	基準以上	基準	少しできている	できていない
聴衆分析	聴衆の知識や経験を意識して、興味関心を引きつける情報や表現の選択ができている。	聴衆の知識や経験を意識して、情報や表現の選択ができている。	聴衆分析が不充分である。	聴衆分析がされていない。
構　成	三部構成ができていて、論理的一貫性がある。 テーマの説明、意見と根拠などの要素の配分が適切である。	三部構成（序論・本論・結論）ができていて、論理的一貫性がある。	三部構成ができているが、論理的一貫性に欠ける。	三部構成ができておらず、論理的一貫性に欠ける。
内　容	テーマの説明がある。自分の意見が述べられ、根拠の質と量が妥当である。 聴き手の反論を予想した視点が入っている。	テーマの説明がある。自分の意見が述べられ、根拠の質と量が妥当である。	テーマの説明がない。 または、 意見に対する根拠の質と量が妥当ではない。	テーマの説明がなく、意見に対する根拠が示されていない。
デリバリー	聴き手の理解を確認しながら、話す速さ、間の取り方を調整している。 姿勢・目線・声に安定感がある。	聴き手の理解を確認しながら、話す速さ、間の取り方を調整している。	目線は聴き手に向いているが、話す速さや間の取り方を調整していない。	目線を上げられず、声が聴き手に届かない。
ラポール形成	聴き手に意識を向けていて、関係作りができている。 オープニングやクロージングの工夫ができている。 聴き手を巻き込んでいる。	聴き手に意識を向けていて、関係作りができている。 オープニングやクロージングの工夫ができている。	聴き手との関係作りが不充分である。	聴き手との関係作りができていない。

視聴覚情報を使った場合:

	4	3	2	1
視聴覚情報	視聴覚情報が独創的で、効果的に使われている。	視聴覚情報の内容と提示方法が適切である。	視聴覚情報を使っているが、適切ではない。	視聴覚情報を使っていない。

1. 発表前

(1) あなたの準備をチェックしましょう。今、どのレベルで発表の準備ができているか、ルーブリックに✓マークを入れましょう。

(2) 今回の発表で、最もがんばりたいところは何でしょうか？

（　　　　　　　　　　　　　　　　　　　　　　　　　　　　　　　　）

2. 発表後:ふりかえり

(1) 自分の発表の録画・録音を視聴して、ルーブリックに自己評価として○マークを付けてください。

(2) クラスメイトからのフィードバックシートを確認して、考えたことを具体的に書いてください。

良かった点：

改善すべき点：

改善方法を具体的に書きましょう：

3. 聴き手として

あなたは問題意識をもって発表を聴きましたか。聴き手としての自分のレベルを下記の2つの質問に答えて内省しましょう。

① 下記のルーブリックを参照して自分の聴き方を評価しましょう。

4	3	2	1
基準以上	基準	少しできている	できていない
問題意識をもって発表を聴き、理解を深めるための質問ができる。質問によって、発表者の気づきを促している。	問題意識をもって発表を聴き、聴き手自身の理解を深めるための質問ができる。	問題意識をもっていないため、適切な質問ができない。	問題意識をもって発表を聴いていない。

② より良い聴き手になるために、どのようなことを意識したらいいかを記述しましょう。

レポートを書こう
ダウンロード教材（レポート作成フォーマット）を使用してください。

第 **7** 章 ビジョン開発と自己実現

この章で 学ぶこと	自己理解を深め、自分の可能性に気づく ビジョンの意義を理解し、人生を通じてのビジョンを描く 心をこめた自己宣言をする

ウォーミングアップ

基礎知識 26
ビジョン開発の意義

タスク 7-1
自由に発想する

基礎知識 27
リフレーミング

タスク 7-2
セルフイメージアップのためのリフレーミング

タスク 7-3
キャッチフレーズで自己表現

基礎知識 28
言葉は行動と感情に影響を与える

タスク 7-4
やる気を引き出す表現

タスク 7-5：
良い発想が出やすくなる身体の状態をつくる

コアワーク

１．自分を知ろう
基礎知識 29
偶然性の活用

タスク 7-6
私のリソース

タスク 7-7
未来の私

タスク 7-8
ビジョンの具体化

２．ビジョンを描こう
基礎知識 29
成長のマインドセット

基礎知識 31
興味関心と情報の取捨選択

タスク 7-9
ビジョンを達成するための具体的行動

３．デリバリー
ありのままの自分で、自分の本当の想いを表現する

発表（自己宣言）

リフレクション

発表後
自己宣言の振り返り

自分の将来像を描く。自己実現のための行動を考える。

この章は、自分自身とさらに深く向き合い、これから自分は何をしたいのかを考え、自分のビジョン（将来像）を描いて、その想いを主張する場として設けました。これまでの章では聴衆分析にもとづいて発表内容を考えてきましたが、ここでは聴き手の反応を意識することより、自分の本当の想いを表現することを楽しみましょう。

＜ウォーミングアップ＞

ビジョン開発の意義

　ビジョンは「見る」「見通す」という意味をもつ英語の vision に由来する言葉です。日本語では、「将来の見通し」「未来像」「構想」と言った意味で用いられています。個人レベルのビジョンは、その人が「目指したい将来像」と言えます。半年先、1年先というよりは、人生を通じて何を実現したいのかという長期的な目標とも言い換えられるでしょう。たとえば、30年後の自分はどのような生活をしていて、何をしているのだろうか、そうしたイメージがビジョンになります。
「そんな先のことはわからない」と思うかもしれませんが、今は見えていないだけです。まだまだ、自分のこともよくわからない、自分をとりまく環境がどう変化していくのかも予測がつかないからではないでしょうか。

　例えて言うなら、ビジョンは遥か遠くの大陸にある灯台の光のようなものです。そして、あなた自身は船であり、あなたをとりまく環境は海だと考えてみてください。そして、目の前にある島々は「進学」、「留学」、「就職」などのあなた自身の短期的な目標と言えるでしょう。

　ビジョンとは自分の進むべき方向を示すものです。あなたは灯台の光を目指して自分が進むべき方向を判断し、舵をとることができます。あなたの人生の最終的な行先はひとつでも、そこに至るルートはいくつもあります。様々な島を、訪れたり、迷ったりしても、ビジョンという灯台の光に導かれ、あなたはいつでも軌道修正することができるのです。

　ただ、人生の航海を始める前にはまず、船（自分自身）をよく理解して性能を上げることも必要です。また、人生の航海は必ずしも順調に進むわけではありません。船が故障したり、嵐に見舞われたりして、立ち往生することもあるでしょう。それでもビジョンをもっていれば、どこかの港に停泊して休養をとり、航海に耐えうるように船の性能を高め、前に進み続けることができるでしょう。

ビジョンは人生の目的、夢や理想、志と言い換えてもいいでしょう。あなたの心の底から湧いてくる願望であり、「夢をかなえたい！」という強い気持ちがあなたの行動の原動力になります。

　こうした考え方はポジティブ心理学（セグリマン2014）を始めとしてコンフリクト・マネジメント（コールマン＆ ファーガソン2020）、トランジション理論（ブリッジズ2014）など様々な分野で言及されていることです。

　この章では、自分という船を理解し、ありありとしたビジョンを描くことを目的とします。「どうせ、私の船は小さいし、みすぼらしいし、航海に出るのは無理」と思うかもしれませんが、それはその人が自分の船の可能性をまだ信じていないかもしれません。また、船を改造してくれる協力者に出会っていないからかもしれません。

　本来、私たちの可能性は無限大で、自分の人生における夢や目標は自由に描くべきものです。しかし、「自分には能力もお金も時間もない」と自分で自分を制限してはいませんか。本当に関心をもっていることや試してみたいと思っていることを表現せず、諦めていませんか。

　自分のビジョンを考えるにあたって大切なことは、まず自分自身に自信をもって自分の可能性を信じることです。そのためにウォーミングアップで、自己肯定感を高めるワークを行ったのちに、コアワークでビジョンを具体化していきましょう。

自由に発想する（グループ）＊

　みなさんにはお金も時間も能力も全て備わっていて、どんなことでもできるという前提で、グループメンバーと一緒に楽しくワクワクする提案をどんどん出し合いましょう。突拍子もないアイディア大歓迎です！

① グループ（2〜4人）になります。次の中からテーマを1つ選び、それについてメンバーひとりひとりが順番に提案をします。
・みんなで楽しく過ごすなら
・タイムマシーンがあったら
・いつでも宇宙に行けるなら
② 最初の人が提案を出したら、グループメンバーは「それはいいですね！」と言葉と表情・態度で賛同の意を表します。
③ 次の人は②の提案にさらに新しいアイディアを加えていきます。それに対して、他のメンバーは賛同の意を表します。

④　一巡したら最初の提案者に戻って、②〜③を繰り返します。

例　テーマ：みんなで楽しく過ごすなら

学生Ａ：温泉に行きましょう。

一同：それはいいですね。

学生Ｂ：温泉旅館を買い上げましょう。

一同：いいですね。

学生Ｃ：一流のシェフを引き抜きましょう。

一同：すばらしい！。それはいい。

 ## リフレーミング

　私たちは自分に自信を持てないと「どうせ自分にはできない」「こんな私が人前で夢を語るのは恥ずかしい」と思ってしまうでしょう。ですから自分の将来像を描くためにはまず、今の自分に自信を持つことが大切です。

　私たちの強みと弱みは表裏一体です。自分で弱みだと思っていることは見方を変えると強みにもなります。ある枠組み（フレーム）で捉えた事柄を異なる枠組みで見直すことを「リフレーミング」と言います。

　たとえば、「コップに水が半分ある」というのは中立的な表現ですが、肯定的なフレームの人は「コップに水が半分もある」と「ある」ものに注目します。否定的なフレームの人は「コップに水が半分しかない」と「無い」ことに注目します。

　人を表現する場合も肯定的な表現を用いる場合と否定的な表現を用いる場合ではその人のイメージは変わります。たとえば、「なかなか物事を決められない」人がいます。否定的なフレームで捉えると、「優柔不断な」人です。肯定的なフレームなら、「慎重に考える」人と表現できるでしょう。

否定的フレーム	肯定的フレーム
やりたいことが見つからない	選択肢がたくさんある 何事にも縛られていない
記憶力が弱い	いやなことはすぐ忘れられる 同じことで何度でも感動できる
落ち着きがない	好奇心旺盛 フットワークが軽い

※状況に合わせて様々な表現ができます。

セルフイメージアップのためのリフレーミング（グループ）＊

　グループメンバーに自分の弱みだと思うことを伝えて（自己開示）、メンバーからあなたが弱みだと思っていることをリフレーミングしてもらいましょう。話し手がその弱みを感じる具体的な場面を確認するとリフレーミングがしやすくなります。

① 　グループ（3〜4人）になって自己開示する順番を
　　決めましょう。
② 　最初の人が自分が弱みだと思っていることや、どの
　　ような場面でその弱みを感じるのかを話します。たと
　　えば、「私は心配性で、翌日の予定を何度も確認しな
　　いと眠れません」など。
③ 　それを聴いた他のメンバーは一言ずつ肯定的なリフ
　　レーミングをします。
④ 　③が終わったら、次の人が自己開示します。これを順番に繰り返していきます。

 キャッチフレーズで自己表現（個人/グループ）＊

　弱みをリフレーミングしてもらえたことで自分の強みに気づけたのではないでしょうか。ここでは下の例を参考に自分の強みを表現するキャッチフレーズをつくってみましょう。
　例：四文字熟語や格言などから良い表現を探してみましょう。
　好き嫌いのない雑食サバイバル系　早川唯
　細やかな気配り　佐藤真育
　質実剛健　真田雪絵

 言葉は行動と感情に影響を与える

　私たちの行動や感情はあらかじめ与えられた情報に無意識のうちに影響を受けていると言われています。これをプライミング効果と言います。
　プライミング効果を実証したジョン・バルフらの実験（バルフ1996）では、実験において大学生を2つのグループに分け、1つのグループには無作為に選んだ単語のセットを、もう1つのグループには「高齢者」を連想させる単語のセットを与え、それらの単語を使って

短文を作るように指示しました。その作業終了後に学生たちの歩く速度を測定したところ、「高齢者」を連想させる単語を見せられたグループの歩行速度がもう一方のグループより遅くなりました。「高齢者」を連想させる単語の影響を受けて、学生たちは無意識のうちに高齢者のように行動したのです。

　前向きな言葉を発する人と一緒にいると元気になりませんか。そしてネガティブな言葉ばかりを発する人と一緒にいると、こちらまで気分が落ち込みませんか。言葉は自分だけでなく周囲の人たちにも影響を与えています。

　ですから自分自身に対する独り言も周囲に発する言葉も前向きな表現を使うように心がけましょう。そして自分と周囲の人たちの気持ちと行動をも前向きなものにしていきましょう。つまり、前向きなエネルギーの好循環を生み出すのです。

 ## やる気を引き出す表現（個人／グループ）＊

① 次の表の左の欄にあなたの中にあるネガティブな心の声を複数書き出してください。（個人作業）

② 左の欄のネガティブな心の声をやる気の出る表現にして、右の欄に記入してください。（グループで一緒にやってもいいでしょう。）

① ネガティブな心の声	② やる気のでる表現
例）自分にはできない	時間をかければできる。 みんなで協力すればできる。

 ## 良い発想が出やすくなる身体の状態をつくる（個人）＊

　身体の状態と思考と感情は互いに影響し合っています。猫背でうつ向いていると、呼吸が浅くなり、身体も緊張するのでネガティブな思考にとらわれやすくなります。思考を前向きにするためには背筋を伸ばし、目線を上げ、深呼吸をし、身体を動かしてリラックスしましょう。

　第1章のタスクを行って身体をリラックスさせましょう。

① タスク1-7 呼吸は全身で

② タスク1-11 姿勢を整え視野を広げる

＜コアワーク＞

1. 自分を知ろう

 偶然性の活用

　これまで予想していなかった出来事や偶然の出来事によって計画を変更しなければならなかった経験はありませんか？　私たちの人生は予想外の出来事や偶然の出来事に大きな影響を受けています。

　スタンフォード大学のクランボルツ博士は「個人のキャリアの約８割は予想外の偶発的な出来事によって決定される」という調査結果をもとに「計画的偶発性理論（1999）」を提唱しました。変化が激しく何が起きるか分からない社会では物事は予定通りに進むとは限りません。計画的偶発性理論では計画することを否定しているわけではありません。計画の変更は起りうることを前提に、偶然の出来事や出会いを増やすために積極的に行動することを勧めています。偶然の出来事を活かして自分の満足のいくキャリア、満足のいく人生をみつけようという考え方です。

　偶然から素晴らしいものを見つけ出したり、幸運に出会ったりする能力をセレンディピティと言います。フレミングのペニシリンの発見、３Ｍ社のポストイットの商品化などもセレンディピティの例としてよく取り上げられています。

　偶然性を利用して成功するために必要な能力は。①新しいものを学ぶことへの好奇心、②失敗しても諦めずに努力し続けられる持続性、③状況に応じて考え方や行動を変えられる柔軟性、④自分の能力や可能性を信じて前向きに取り組む楽観性、⑤リスクを恐れずに挑戦する冒険心だと言われています。これらの能力は学力テストでは測れない内面的なスキルで非認知能力と言われるものです。

　冒険心をもって、新しいことにチャレンジしたり、自分の面白いと思うことを追求したりすることで人生のチャンスが拡大していきます。まずは「こんなことをしてみたい！」「こんな人生を送りたい！」というような心がワクワクする方向性を決めてみましょう。それが行動を起こすことの原動力になります。行動を起こした先で新たな情報を得て、新たに興味関心を持てるものを見つけて、可能性の幅を広げていきましょう。

基礎知識 30　成長のマインドセット

　新しい行動を起こす時に必要になるのが「成長のマインドセット」（ドゥエック2016）です。マインドセットは人間の能力と行動に影響を与えると言われています。「成長のマインドセット」の持ち主は「やればできる」と思っているので目標のために努力します。失敗は想定内の出来事なので失敗しても諦めずに努力し続けるので、目標を実現する可能性が高くなります。

　一方「成長のマインドセット」ではなく、「人の能力は生まれつきのもので変化することはない」と考えている人は、失敗することを恐れて自分にできそうなことにしか取り組まなくなります。その結果、自分の世界を広げることができず、自分の可能性を引き出すこともできなくなってしまいます。

　自分の可能性を引き出すためには、これまでの人生で培ってきた能力や知識、人間関係などをじっくり考える必要があります。それらはあなたが持っている人生のリソース（資源）です。自分のリソースを自覚できると、今のあなた自身の可能性が浮かびあがってくるでしょう。また、あなたがこれから様々なことにチャレンジする時に、あなたに勇気を与え、力づけてくれるのもリソースです。

 タスク 7-6　私のリソース　（個人/グループ）＊

　これまでの人生を振り返って、あなたのリソースを確認しましょう。例を参考に、「私のリソースシート」の「私のリソース」（ダウンロード教材）に記入しましょう。

① 「私のリソース」を記入しましょう。
　・(1) の欄に、あなたの人生の中で、あなたにとって重要だったと思われる出来事を時系列で書き出しましょう。
　・(2) の欄に、(1) で書いた出来事について、あなたに影響を与えたリソース（資源）を書きましょう。本、動画、誰かの一言、趣味、好きなこと / ものなど、いろいろ思い出してみてください。
　・(3) の欄に、自分を成長させてくれたと思われる事、自分の内面の変化、気づきを具体的に説明しましょう。

例1　　　　　　　　　　　　私（山崎　礼音）のリソース

(1)　重大な出来事 （時系列に並べる）	(2)　影響を与えてくれた "リソース" （人、組織、出来事、本、映画など）	(3)　成長させてくれたこと
4歳：バイオリンを習い始める	バイオリンが趣味だった祖父の送り迎え　帰りにパフェが食べられる	礼儀作法に厳しい祖父だったので、お行儀よく振舞った
13歳：バイオリンの先生にバイオリニストになることを勧められる	ほめ上手なバイオリンの先生	バイオリンの練習に励めた
15歳：左指2本の麻痺、左ひじの手術、バイオンリンを諦める	母、長期に渡る入院とリハビリ生活、入院患者たちとの交流	絶望と挫折感 母の励ましへの感謝 「僕だけじゃない、みんな頑張っている」という気づき
15歳：リハビリ中に病院内にあった教会の聖歌隊に入る	教会の聖歌隊員としての病院訪問コンサート活動	歌で入院患者を励ませることを知った
15歳：声楽を本格的に始める	声楽の先生、文京区シビックホールでの独唱	声楽家になる目標ができた
16歳：東京から神奈川県の海に近い家に引っ越し	都内の高校に通うため、通学時間が2時間になった	満員電車で体力がついた
16歳：新しい生活環境	海、お寺の散策、季節の花々、ハイキング	自然、お寺巡りで癒された
18歳：指の麻痺でピアノが弾けないため、声楽での音大受験を諦め、文系の大学に入学	国際関係の勉強、英語の勉強、海外の人たちとの交流	新たに興味を持てるものと出会えた

例2　　　　　　　　　　　　私（鮎川　桃花）のリソース

①重大な出来事 （時系列に並べる）	②影響を与えてくれた "リソース" （人、組織、出来事、本、映画など）	③成長させてくれたこと
小学生：運動会	徒競走が苦手だったので運動会が大嫌いだった	
中学校2年：バレー部県大会優勝	厳しい練習に耐えた根性	練習すればできる！
高校1年：バレーボール部に入部、身長が伸びずアタッカーになれなかった。	レギュラーに入れなかったが、顧問から「武器を持て」と言われ、サーブの猛特訓をした	他の人にはない高い能力をもっていれば、認められる！
高校2年：県大会決勝戦	当日に熱を出して出場できなかった	自分に失望した
高校2年秋：アドラー心理学の本を読んだ	「人のために生きる」ことを考えるようになった	自分が勝つのではなく、他者を活かすことを学んだ
高校2年〜3年：手話を学び始めた	地域センターでの手話のボランティア活動	人の力になれることに喜びを感じた

②　書きあがったものをグループ（2〜4人）で発表しましょう。

・1人2分で自分のリソースの物語をメンバーに話します。

・1人が語り終わったら、聴いていた人たちはその物語で素晴らしいと思った点について一言ずつコメントします。

・終わったら、次の人が自分のリソースの物語を話します。

2. ビジョンを描こう

未来の私（個人/グループ）＊

　出会い、自分自身の経験、全てがあなたのリソースです。さあ、そんなリソースをもつあなた自身のビジョン（将来像）を描いてみましょう。ここで重要なことは、「何でも可能になる」という気持ちで、思いっきりワクワクする「夢」を描くことです。

① 「私のリソースシート」に「未来の私」（ダウンロード教材）を記入しましょう。例のように自由に発想していきましょう。

例1　　　　　　　　　　　　　　未来の私（山崎　礼音）

(1)　重大な出来事 （時系列に並べる）	(2)　影響を与えてくれる "リソース" （人、組織、出来事、本、映画など）
10年後：　通訳として活躍	知識と能力、資格、恵まれた人間関係、幸せな結婚生活
20年後：ヒーリングソングの歌手としてのコンサート活動	健康、家族、音楽仲間、応援してくれる友人たち、資金

例2　　　　　　　　　　　　　　未来の私（鮎川　桃花））

①重大な出来事 （時系列に並べる）	②影響を与えてくれる "リソース" （人、組織、出来事、本、映画など）
10年後：ホテルで働き、様々な障害を抱えるお客様に喜んでいただけるサービスを提供して、テレビの取材を受ける	大学の福祉学科での学び、ボランティア活動での出会い、多文化共生を実現しようとする経営者
20年後：多文化共生事業コンサルタントとして、世界の観光業界の指導にあたっている。	家事を手伝ってくれる夫と子ども達（男の子と女の子）を連れて、世界中を飛び回っている。夏のバカンスはモナコの別荘でゆっくり過ごす。

② 　書きあがったものをグループ（2〜4人）で発表しましょう。

・1人2分で自分のリソースの物語をメンバーに話します。

・1人が語り終わったら、聴いていた人たちはその物語で素晴らしいと思った点について一言ずつコメントします。

・終わったら、次の人が自分のリソースの物語を話します。

ビジョンの具体化(個人/ペア)＊

① 2人組になり、タスク 7-7 で発表した「未来の私」について、お互いにインタビューをしましょう。あなたには能力もお金も時間もすべて備わっているという前提でインタビューに答えてください。

インタビュー活動をする時は、以下の点に注意してください。
　インタビューをする人：
・ゆっくり落ち着いた声で質問リストの質問を読みます。
・急がず、相手が答えるまで、ゆっくり時間をとってください。
・相手が語り終えたら、次の質問に進みます。

　インタビューに答える人：
・自由にイメージを膨らませて、ビジョンを語りましょう。
・心から実現したい、楽しみだと思うことを想像することが重要です。
・具体的に、肯定的な表現で、既に実現したつもりで話しましょう。
　　　× 　面接で**失敗しないように**、しっかり準備します。
　　　⇒ 　しっかり準備をして、面接には**受かりました**。

　　　× 　家族みんな笑顔でBBQを**したいです**。
　　　⇒ 　家族みんな笑顔でBBQを**しています**。

② 個人作業の場合は、以下の質問に対してイメージを膨らませて、答えを具体的に、肯定的表現で、既に実現したつもりで書きましょう。

　＜質問リスト＞
・あなたは今、どこにいますか。
・何をしていますか。
・周囲を見回してみてください。何が見えますか。
・耳を澄ませてください。何か聞こえますか。
・何か感じますか。明るさ、暖かさ、香り、味、どのようなものでも良いです。
・どのような気持ちですか。

・周りには誰かいますか。それはどのような人たちですか。どのような会話をしていま
か。その人たちの表情や行動はどのようなものですか。

基礎知識 31 興味関心と情報の取捨選択

道路にはたくさんの車が走っていますが自分の好
きな車種は目につきやすく、街を歩いていて好きな
ブランド店の看板はすぐに見つけられるという経験
はありませんか。私たちの脳は、自分が興味関心を
もっている情報には敏感になるという特性を持って
います。このことは視覚情報だけに限りません。五
感（視覚・聴覚・触覚・嗅覚・味覚）を通じて必要
な情報が収集されていくのです。

また、自分の興味関心の対象が絞られると、必要な情報やネットワークへのアクセスが
容易になっていきます。「とりあえず、就職したい。」よりは「私はホテルで働き、様々な
障害を抱えるお客様に喜んでいただけるサービスを提供したい。」という明確なビジョンが
あれば、業界を絞ってリサーチすることができます。さらに、「ホテル業界関係者に現状を
聞いてみよう、インターンシップに参加しよう、様々な障害を抱える人たちからホテル滞
在中の問題についての意見を聞いてみよう」など、やるべき行動が具体的に見えてきます。
そして、実際に行動していく中で、その仕事の具体的な内容、それをするために必要な知
識や能力、障がい者について考えているホテルか否か、職場の雰囲気が良いか悪いかなど
の情報を得ることができます。それらの情報と自分のビジョンを照らし合わせて、どのホ
テルを選ぶか判断できるようになります。

タスク 7-9 ビジョンを実現するための具体的行動（個人）＊

あなたのビジョンを実現するためには、どのような行動が必要でしょうか。
「ビジョンを実現するための行動マップ」（ダウンロード教材）を作ります。あなたが目指
す将来像と今の自分を繋げるために必要だと思われる行動を具体的に書き出してみましょ
う。

タスク 7-10 ビジョン開発シートを完成させよう（個人）＊

　ここまで学んだことを「ビジョン開発シート」にまとめて記入し、自己宣言を作成します。

> ビジョン開発シートを作ろう
> ダウンロード教材（ビジョン開発シート）を使用してください。

3. デリバリー

　ありのままの自分で本当の想いを表現する。

＜発表＞

解説

　自己宣言とは自分の目標を声に出して言語化することです。その効果は 2 つあります。

　1 つ目は、基礎知識 31 で述べたように、その目標に意識を向けることで必要な情報が手に入り、行動計画が立てやすくなります。2 つ目に、他者に向けて自分の想いを伝えることで、注目を浴び、周囲からの情報やサポートを受けやすくなります。

1．クラス全員は椅子を扇型に並べて、座ります。（発表者と聴き手の間に机など障害物を置かないようにする）

2．クラス全員の前で発表者は自己宣言をします。

　聴き手は発表者の登場を拍手で迎えます。

　発表者は聴き手に向かって立ち、「自己宣言」を 1 分程度します。

3．1 人の「自己宣言」が終わったら、聴き手は励ましの言葉などを「応援メッセージカード」に記入して発表者に渡します。応援メッセージカードはダウンロード教材を使ってください。クラス全員が自己宣言が終わるまで上記のプロセスを繰り返します。

応援メッセージを書こう
ダウンロード教材（応援メッセージカード）を使用して下さい。

発表後

（１）自己宣言をして、あなたはどのようなことを感じましたか。

（２）応援メッセージを読んで、何を感じ、どのようなことを考えましたか。

（３）他の人の自己宣言を聴いて学んだことを書きましょう。

（４）最後に、あなたのビジョンに近づくために、明日から始める第一歩の行動を具体的
　　　に書きましょう。小さな一歩でいいのです。

〈メモ〉

参考文献リスト

はじめに

経済協力開発機構（OECD）編著　ベネッセ教育総合研究所企画・制作（2018）『社会情動的スキル―学びに向かう力』明石書店

松尾知明（2016）「知識社会とコンピテンシー概念を考える―OECD国際教育指標（INES）事業における理論的展開を中心に―」『教育学研究』第83巻　第2号　pp.154-166

Rychen, D.S. & Salganik, L. H.（2000）. A Contribution of of the OECD Program Definition and Selection of Competencies. Theoretical and Conceptual Foundations. Paper prepared for INES General Assembly 2000.

Rychen, D. S. & Salganik, L. H.（2003）. Key Competencies for a Successful Life and a Well-Functioning Society. Hogrefe & Huber Publishers.

文部科学省（2008）『学士課程教育の構築に向けて（審議のまとめ）』　p.16　https://www.mext.go.jp/component/b_menu/shingi/toushin/__icsFiles/afieldfile/2013/05/13/1212958_001.pdf （2022年3月19日現在）

熊平美香（2021）『リフレクション（REFLECTION）自分とチームの成長を加速させる内省の技術』ディスカヴァー・トゥエンティワン

Mezirow, Jack（1990）. Fostering Critical Reflection in Adulthood: A Guide to Transformative and Emancipatory Learning. Jossey-Bass.

溝上慎一（2014）『アクティブラーニングと教授学習パラダイムの転換』東信堂

八代京子（2019）「第1部　概論」八代京子編『アクティブラーニングで学ぶコミュニケーション』研究社　pp.2-25

鈴木有香，久保田真弓（2017）「科目『協調的交渉論』の教育的意義：『ディープ・アクティブラーニングの視点から』」『情報研究関西大学総合情報学部紀要』第46巻 pp.41-69

Edmondson, A.（1999）Psychological Safety and Learning Behavior in Work Teams. *Administrative Science Quarterly,* 44（2）350-383

Jacobs, G. M., Power, M. A., & Loh, I. W.（2002）. The teacher's sourcebook for cooperative learning: Practical techniques, basic principles, and frequently asked questions. Thousand Oaks, CA: Corwin Press, Inc.

Johnson, D.W., Johnson, R. T. and Smith, K. A.（1991）. Active learning: Cooperation in the college classroom.『学生参加型の大学授業』（関田一彦監訳）東京都：玉川大学出版部

この本の使い方

関西大学『ルーブリックの使い方ガイド（教員用）』https://www.kansai-u.ac.jp/ctl/teacher/images/rublic_guide_faculty.pdf （2022年1月20日現在）

鈴木有香（2017）『人と組織を強くする交渉力：あらゆる紛争をWin-Winで解決するコンフリクト・マネジメント入門』自由国民社

第1章

中村真（2007）「コミュニケーションにおける表情と感情判断:判断手がかりの利用法略の測定と感情の知能について」『人文社会科学研究所年報』第5巻 pp.85-91.

岸田典子・鈴木有香（2021）『オンライン授業のためのZoomレッスン：簡単にできるアクティブラーニングのコツ』実教出版

カーマイン・ガロ著　土方奈美訳（2014）『TED 驚異のプレゼン―人を惹きつけ、心を動かす9つの法則』日経BP

リチャード・ブレナン著　稲葉俊郎訳（2018））『身体のデザインに合わせた自然な呼吸方―アレクサンダー・テクニークで息を調律する』医道の日本社

Alfred A. Tomatis.（2005）. "The Ear and the Voice" The Scarecrow Press, Inc.

トマティスリスニングセンター東京 『耳と聲の講座』

第2章

Luft, J. & Ingham, H. The Johari Window: A Graphic Model of Interpersonal Awareness. Los Angeles: U. of California Extension Office, 1955

第3章

橋本恵子（2010）「コミュニケーション指導に向けたスピーチ構成図の改善―独話から共話、対話へ―」Kyushu Communication Studies, 8, 1-9

櫻田怜佳（2018）「TED Talksにおける語りの構成と言語表現の日本語・英語対照研究 —スピーチに見られる語り手と聴衆の関係—」『社会言語科学』第21巻　第1号　pp.191－206

鷲見幸夫・松浦光（2021）「概念メタファー理論に基づいた教科学習支援 — 抽象語の理解に向けて—」『名古屋大学人文学研究論集課程』（4）pp.207-215

佐野彩子（2016）「ビジネス分野における外来語『リスク』に関する一考察」一橋日本語教育研究　4号 pp.137-146

佐久間まゆみ（2003）『文章・談話』朝倉書店

厚生労働省「手洗い」https://www.mhlw.go.jp/content/10900000/000593494.pdf（2022年3月20日現在）

第4章

山崎啓支（2007）『実務入門NLPの基本がわかる本』日本能率協会マネジメントセンター

安井かずみ（1965）（訳詞）『ドナドナ』

「さとうきび畑」寺島尚彦作詞

文部省唱歌『雪やこんこ』初出：『尋常小学唱歌（二）』（明治44年）

穂口雄右（1976）「春一番」作詞・作曲：

『詞花和歌集』新日本古典文学大系（1989）岩波書店

俵万智（2000）『チョコレート革命』河出書房新社

『小右記』大日本古記録（2001）東京大学史料編纂所

カーマイン・ガロ著　土方奈美訳（2014）『TED 驚異のプレゼン―人を惹きつけ、心を動かす9つの法則』日経BP

第5章

野矢茂樹（2017）「論理トレーニング101題」産業図書

Jason. Dyer（2019）. Critical Thinking: The 12 Rules for Intelligent Thinking - Improve Your Problem-Solving and Decision Making Skills, Overcome Shyness and Social Anxiety to Increase Self Confidence in Life

Colin. Swatridge（2014）. The Oxford Guide to Effective Argument and Critical Thinking 1st Edition, Kindle Edition

交通事故の現状　https://www.mlit.go.jp/road/road/traffic/sesaku/pdf/2-2-1.pdf（2022年3月22日現在）

矢野恒太記念会「日本のすがた 2021（日本国勢図会ジュニア版）」（2021）

第6章

鈴木有香（2020）「6章　柔軟な発想力のために（2）登場人物批判」『社会を生き抜く伝える力AtoZ』pp.45-52　実教出版

L．ウィトゲンシュタイン（2010）『青色本』（ちくま学芸文庫）（大森荘蔵翻訳）筑摩書房　Ludwig Wittgenstein（1991）. The Blue and Brown Books: Preliminary Studies for the 'Philosophical Investigation' Wiley-Blackwell; 1st edition

厚生労働省　「子どもが子どもでいられる街に」https://www.mhlw.go.jp/young-carer/（2022年3月21日現在）

三菱UFJリサーチ＆コンサルティング「令和2年度子ども・子育て支援推進調査研究事業 ヤングケアラーの実態に関する調査研究報告書」（令和3年3月）https://www.murc.jp/wp-content/uploads/2021/04/koukai_210412_7.pdf（2022年3月21日現在）

第7章

Bargh J. A., Chen M. & Burrows L.（1996）. Automaticity of social behavior: Direct effects of trait construct and stereotype activation on action. *Journal of Personality and Social Psychology,* 71, 230-244

Mitchell, K. E., Levin, A. S., & Krumboltz, J. D.（1999）. Planned happenstance: Constructing unexpected career opportunities. Journal of Counseling & Development, 77（2）, 115-124

クランボルツ, J. D. & レヴィン, A. S.（2005）（花田三世、大木紀子、宮地夕紀子訳）『その幸運は偶然ではないんです！』ダイヤモンド社

キャロル・S・ドゥエック（2016）『マインドセット「やればできる！」の研究』（今西康子訳）草思社

セリグマン，マーティン（2014）宇野カオリ訳『ポジティブ心理学の挑戦 "幸福" から "持続的幸福" へ』ディスカバー・トゥエンティワン

ピーター・T・コールマン／ロバート・ファーガソン（2020）（鈴木有香、八代京子、鈴木桂子訳）『コンフリクト・マネジメントの教科書』東洋経済新報社

ウィリアム・ブリッジズ（2014）（倉光修、小林哲郎訳）『トランジション　一人生の転機を活かすために』パンローリング株式会社

■著者経歴

あかざきみさ
赤﨑美砂

立教大学異文化コミュニケーション学部及び大学院非常勤講師。元淑徳大学国際コミュニケーション学部教授。学部・大学院に加え市民講座、教員免許更新講座等を担当。桜美林大学、中央大学等において非常勤講師、外国人を対象とした異文化トレーニング等を経験。青山学院大学大学院修士課程修了（国際コミュニケーション学修士）、英国Nottingham大学大学院博士課程修了（Ph.D. in Adult Education）。専門分野は異文化・象徴的移動状況における学び。日本人成人の留学と帰国後の生活、成人のギャップイヤー、主婦から勤労者への移行といった、生活や立場が変化する状況における学びが研究対象。著書：『大学での学び - 知の探検に出かけよう』（白鴎社）。

かじたにくみこ
梶谷久美子

米国アンティオーク大学大学院にて異文化コミュニケーション学修士号取得。桜美林大学特任講師。メビウス人財育成大学大学院講師。統合共育研究所チーフパートナー講師。EQ グローバルアライアンス公認EQ（感情知能）トレーナー。国際メンターシップ協会エグゼクティブメンター。トマティス聴覚カウンセラー。ヴォイストレーナー。「異文化コミュニケーション」「EQ コミュニケーション」「リーダーシップ」「チームビルディング」「発声法と話し方」「音読による感情知能と自己表現能力開発」「音楽を用いた感情知能とコミュニケーション能力開発」「潜在能力開発」「子供の非認知能力の育て方」等のプログラム開発及び公官庁・企業での研修を行っている。

すずきゆか
鈴木有香

早稲田大学紛争交渉研究所招聘研究員。桜美林大学、明治大学、関西大学大学院などで「協調的交渉論」、「ミディエーション」等を担当。コロンビア大学ティーチャーズ・カレッジにて修士号取得、上智大学大学院文学研究科教育学専攻博士後期課程単位取得満期退学。また、英国王立演劇学校（Royal Academy of Dramatic Arts）の教授陣から演劇と演劇教育について学び、コミュニケーション教育に応用させている。主な著書に『交渉とミディエーション』（三修社）、『人と組織を強くする交渉力』（自由民社）、『オンライン授業のための＿Zoom レッスン』（実教出版）、翻訳書『コンフリクト・マネジメントの教科書』（東洋経済出版社）など。

ふくもとあき
福本亜希

桜美林大学、東京医科歯科大学、武蔵野大学非常勤講師。大阪外国語大学留学生日本語教育センター、追手門大学、広島市立大学等で日本語教育に従事したのち、現在にいたる。現在、東京医科歯科大学、武蔵野大学にて留学生へのアカデミックジャパニーズ、ビジネス日本語などの授業を担当し、桜美林大学にて学部生のアカデミックプレゼンテーション、ディベートなどの授業を担当している。神戸市外国語大学大学院（日本アジア言語文化専攻日本語領域）修士課程修了。著書に『にほんごこれだけ！2』（ココ出版）、『日本で生活する外国人のためのいろんな書類の書き方』（アスク出版）がある。

ふるやともこ
古谷知子

桜美林大学リベラルアーツ学群非常勤講師。元淑徳大学国際コミュニケーション学部非常勤講師。サンフランシスコ州立大学大学院スピーチ・コミュニケーション学部修士課程修了。専門はスピーチ・コミュニケーション。現在、プレゼンテーション指導の他、議論とディベート、対人援助で磨くコミュニケーション力、集団コミュニケーション、現代コミュニケーション学理論を担当。日本ピアサポート学会所属。ピアサポートトレーナー。著書に「プレゼンテーションの基本　協働学習で学ぶスピーチ〜型にはまるな、異なれ！〜」。現在、コミュニケーション促進ゲームツールアプリの開発中。

やまざきさだこ
山崎貞子

お茶の水女子大学大学院博士号（人文科学）取得、桜美林大学非常勤講師、専門分野、日本語学、文法論、語彙論、言語表現とコミュニケーション。伝統文化の身体技法とことばについて茶道を通して考察。裏千家茶道講師として地域ワークショップ開催。その他、辞典編集の協力者として「現古対照文法辞典」（2014 〜 2017科研費研究）、『古語大鑑』（東京大学出版会）に携わる。「仮名日記の時間副詞の文法的意味と述語形式」『日本語形態の諸問題』（ひつじ書房）、「茶道における道具と動作の考察」『鈴木泰先生古希記念論文集』（日本語文法研究会）。

●本書の関連データがwebサイトからダウンロードできます。

https://www.jikkyo.co.jp で
本書を検索してください。

提供データ：構成シート など

■編著・著（著者経歴 p.132）

鈴木有香
すずきゆか

梶谷久美子
かじたにくみこ

山崎貞子
やまざきさだこ

古谷知子
ふるやともこ

福本亜希
ふくもとあき

赤﨑美砂
あかざきみさ

●表紙デザイン──ウエイド
●本文基本デザイン・DTP制作──朝日メディア

自己表現から
アカデミックプレゼンテーションへ
双方向性のコミュニケーション

2023年 1 月10日　初版第 1 刷発行
2024年 9 月25日　初版第 3 刷発行

●執筆者　鈴木有香　ほか5名(別記)
●発行者　小田良次
●印刷所　壮光舎印刷株式会社

●発行所　実教出版株式会社

〒102-8377
東京都千代田区五番町 5 番地
電話 ［営　　業］ (03)3238-7765
　　 ［企画開発］ (03)3238-7751
　　 ［総　　務］ (03)3238-7700
https://www.jikkyo.co.jp

無断複写・転載を禁ず

ISBN978-4-407-35594-9　C0037　　　　　　　　　　　　Printed in Japan